CLASSIQUES LAROUSSE

Collection fondée en 1933 par FÉLIX GUIRAND
continuée par
LÉON LEJEALLE (1949 à 1968) et JEAN-POL CAPUT (1969 à 1972)
Agrégés des Lettres

GEORGES BERNANOS

SOUS LE SOLEIL DE SATAN

extraits

avec une Notice biographique, une Notice historique
et littéraire, des Notes explicatives, des Jugements,
un Questionnaire et des Sujets de devoirs,

par

ANDRÉ BOUTET DE MONVEL
Agrégé des lettres
Professeur de lettres supérieures
au lycée Janson-de-Sailly

édition remise à jour

LIBRAIRIE LAROUSSE
17, rue du Montparnasse, 75298 PARIS

GEORGES BERNANOS ET SON TEMPS

	LA VIE ET L'ŒUVRE DE BERNANOS	LE MOUVEMENT INTELLECTUEL ET ARTISTIQUE	LES ÉVÉNEMENTS HISTORIQUES
1888	Naissance de G. Bernanos à Paris (20 février).	É. Zola : *le Rêve*. M. Barrès : *Sous l'œil des Barbares.*	
1906	Études à la Sorbonne.	H. Bergson : *l'Evolution créatrice. Jean-Christophe*, de R. Rolland, en cours de publication. Mort de Cézanne.	Élection de Fallières à la présidence de la République.
1914	S'engage au 6e dragons.	R. Rolland : *Au-dessus de la mêlée.*	Début de la Première Guerre mondiale.
1922	*Madame Dargent*, nouvelle.	P. Valéry : *Charmes*. J. Giraudoux : *Siegfried et le Limousin.*	Ministère Poincaré. Prise du pouvoir par Mussolini en Italie.
1926	*Sous le soleil de Satan.*	A. Gide : *les Faux-Monnayeurs*. H. de Montherlant : *les Bestiaires*. P. Éluard : *Capitale de la douleur*.	Inflation monétaire. Chute du ministère Herriot.
1927	*L'Imposture.*	F. Mauriac : *Thérèse Desqueyroux*. J. Green : *Adrienne Mesurat*. J. Benda : *la Trahison des clercs*.	Évacuation de la Rhénanie.
1929	*La Joie.*	J. Cocteau : *les Enfants terribles*. J. Giono : *Colline.*	Démission du ministère Poincaré. Crise économique.
1935	*Un crime.*	J. Giraudoux : *La guerre de Troie n'aura pas lieu*. H. de Montherlant : *Service inutile.*	Plébiscite de la Sarre, qui opte pour l'Allemagne. Agression italienne contre l'Éthiopie.

ISBN 2-03-870018-4

1937	*Nouvelle Histoire de Mouchette.*	J. Anouilh : *le Voyageur sans bagage.* A. Malraux : *l'Espoir. La Grande Illusion*, film de J. Renoir. Mort de M. Ravel.	Guerre sino-japonaise. Exposition internationale de Paris.
1938	*Les Grands Cimetières sous la lune.* Départ pour l'Amérique du Sud.	A. Salacrou : *La terre est ronde.* J.-P. Sartre : *la Nausée.*	Annexion par l'Allemagne de l'Autriche, puis des territoires des Sudètes. Accords de Munich.
1939	*Nous autres Français.*	J. Giraudoux : *Ondine.* Saint-Exupéry : *Terre des hommes.* J.-P. Sartre : *le Mur.*	Occupation de la Tchécoslovaquie (mars), puis invasion de la Pologne (1er septembre) par Hitler. Début de la Seconde Guerre mondiale.
1942	*Lettre aux Anglais.*	H. de Montherlant : *la Reine morte.* A. Camus : *l'Etranger, le Mythe de Sisyphe.*	Début de la contre-offensive russe. Charte de l'Atlantique. Procès de Riom.
1943	*Monsieur Ouine.*	J.-P. Sartre : *l'Etre et le Néant.*	Bataille de Stalingrad.
1944	*La France contre les robots.*	J.-P. Sartre : *Huis-clos.* Vercors : *le Silence de la mer.* J. Anouilh : *Antigone.* Mort de J. Giraudoux, de Saint-Exupéry, de R. Rolland.	Débarquement allié en Normandie. Libération de Paris (août).
1945	Retour en France.	A. Camus . *Caligula.* J.-P. Sartre : *l'Age de raison.* Mort de P. Valéry.	Capitulation allemande. Bombe atomique sur Hiroshima. Gouvernement de Gaulle.
1947	Départ pour la Tunisie.	A. Camus : *la Peste.* H. de Montherlant : *le Maître de Santiago.*	Élection de V. Auriol à la présidence de la République.
1948	Mort de G. Bernanos à Neuilly (5 juillet).	J.-P. Sartre : *les Mains sales.* J. Anouilh : *Ardèle ou la Marguerite.*	Scission progressive du monde en deux blocs. Plan Marshall.

RÉSUMÉ CHRONOLOGIQUE DE LA VIE DE GEORGES BERNANOS

(1888-1948)

1888 (20 février). — Naissance de Georges Bernanos à Paris, rue Joubert.

1888-1898. — Enfance à Fressin, dans l'Artois.

1898-1906. — Études chez les Jésuites de la rue de Vaugirard; aux petits séminaires de Notre-Dame-des-Champs et de Bourges; enfin au collège Sainte-Marie, à Aire-sur-la-Lys.

1906-1913. — Études en Sorbonne. Licences de lettres et de droit. Militant d'*Action française* : incarcéré à la Santé en 1909 (affaire Thalamas).

1913-1914. — Il dirige à Rouen *l'Avant-garde de Normandie*, hebdomadaire royaliste qui polémique contre Alain. Premiers essais littéraires.

1914-1918. — Réformé; il s'engage au 6e dragons où il fait toute la guerre; plusieurs blessures et citations.

1917. — Il épouse Jeanne Talbert d'Arc, descendante d'un frère de Jeanne d'Arc. Six enfants de 1918 à 1933.

1919. — Il se sépare de *l'Action française*. Entre comme inspecteur dans une compagnie d'assurances. Début d'une vie errante : voyages et installations de maison en maison.

1922. — Première nouvelle, *Madame Dargent*, publiée dans *la Revue hebdomadaire*.

1926 (mars). — *Sous le soleil de Satan*, premier roman; succès considérable. Il quitte la compagnie d'assurances pour se consacrer à son métier d'écrivain. Condamnation de *l'Action française* par le Vatican; Bernanos se rapproche de ses anciens maîtres pour quelques années.

1927. — *L'Imposture*, roman.

1929. — *La Joie*, roman (prix Femina). Articles à *l'Action française*. Conférences sous le patronage des maurrassiens.

1930. — Soigné pour des crises d'angoisse à Vesenex, où il termine *la Grande Peur des bien-pensants*.

1931-1933. — Travaille à *la Paroisse morte*, qui devint *Monsieur Ouine*.

1932. — Vive polémique contre *l'Action française*.

1933. — Un accident de motocyclette, à Montbéliard, le laisse infirme.

1934-1937. — Il s'installe à Majorque, dans les îles Baléares.

1935. — *Un crime*, roman policier.

1936. — *Journal d'un curé de campagne* (prix du Roman) : grand succès.

1937. — *Nouvelle histoire de Mouchette*, roman. Deuxième accident de moto.

1938. — *Les Grands Cimetières sous la lune*, pamphlet contre la révolution franquiste.

1938-1945. — Il part pour l'Amérique latine; après un court séjour au Paraguay, il vit au Brésil, où il entreprend une vaste exploitation agricole, la Fazenda San Antonio, qu'il abandonne pour la petite ferme de La Croix-des-Ames. Articles dans la presse du Brésil et de la France Libre.

1939. — *Nous autres Français*, essai.

1942. — *Lettre aux Anglais*, essai.

1943. — *Monsieur Ouine*, roman.

1944. — *La France contre les robots*, essai.

1945. — Retour en France, sur un appel du général de Gaulle. Réside à Paris, puis dans le Midi. Articles dans la presse de la Libération.

1947-1948. — Séjour en Tunisie. Il écrit les *Dialogues des carmélites*, drame (posthume).

1948 (5 juillet). — Bernanos meurt à l'hôpital américain de Neuilly, où on l'a transporté pour une opération désespérée.

Bernanos est né quarante-deux ans après Léon Bloy, vingt-six ans après M. Barrès, vingt ans après P. Claudel et Ch. Maurras, dix-neuf ans après A. Gide, quinze ans après Ch. Péguy, trois ans après F. Mauriac; huit ans avant H. de Montherlant, douze ans avant Julien Green et Saint-Exupéry, treize ans avant A. Malraux, dix-sept ans avant J.-P. Sartre, vingt-cinq ans avant A. Camus.

GEORGES BERNANOS

Il est significatif que le premier roman de Bernanos se termine sur une violente, injuste et admirable caricature d'Anatole France. Tout en lui était fait pour abhorrer le dilettantisme agnostique, les jeux raffinés du créateur de Paphnuce[1]. Bernanos est d'abord un croyant. Cet enfant, entouré de prêtres dès son plus jeune âge, élevé au petit séminaire, a reçu la foi comme un « droit d'aînesse » que, selon le mot d'un de ses ancêtres spirituels, Villiers de l'Isle-Adam, « rien ne lui fera troquer contre tous les plats de lentilles du progrès ».

Homme de foi, il est en même temps homme de vie : amoureux du risque et de l'engagement, à l'opposé du dilettante. Une image révèle Bernanos : le motocycliste, épris du contact vivant avec la machine, avec la vitesse, avec le vent et la route, qu'un accident réduira, en 1933, à marcher péniblement en s'aidant de deux cannes.

Bernanos a lui-même nommé la lignée littéraire à laquelle il appartient : Bloy, Veuillot, Drumont, Proudhon, Péguy, écrivains athlètes qu'une foi de visionnaire — sociale ou religieuse —, dresse avec violence contre le monde; écrivains nés pour flageller et témoigner.

Au cœur de cette œuvre est la passion de l'*authenticité*. A. Béguin a très justement souligné la hantise qu'avait Bernanos de l'enfance perdue, d'un monde de vérité et de plénitude avec lequel les plus purs et les plus forts réussiraient à rester en accord. Cette hantise est très sensible dans l'œuvre de l'essayiste et du polémiste. « Je ne puis me consoler, écrivait-il, d'avoir perdu l'image que je m'étais formée, dans l'enfance, de mon pays. Si je savais où on l'a mise, j'irais crever sur sa tombe, comme un chien sur celle de son maître. » C'est cette patrie authentique que rêve de retrouver le jeune militant d'*Action française*, et dont l'écrivain en exil défend, pendant la Seconde Guerre mondiale, l'image meurtrie. Cette obsession condamne la pensée de Bernanos à la nostalgie. Comme Péguy, il souffre de la décomposition de toute mystique en politique, et c'est cette décomposition qu'il saisit partout : victoire aux fruits amers en 1918 comme en 1945 ; trahison de *l'Action française ;* horreurs de la révolution et du régime franquistes. Ses pamphlets sont animés par une colère de prophète, qui maudit et flagelle le Siècle avec une vigueur inlassable, mais témoigne inlassablement d'une justice et d'une vertu perdues.

Cette même passion de l'authenticité anime l'œuvre du romancier. Bernanos s'inscrit contre la tradition du vraisemblable et du

1. Le saint qu'A. France a peint dans *Thaïs*.

réalisme, qui se contente de l'apparence et de la surface du monde. Seuls le concernent profondément les êtres d'exception — monstres ou saints — dont l'âme touche dans les ténèbres à un univers essentiel. Mais ce monde de l'authentique, objet de foi pour le croyant, le romancier en a peint l'incertitude humaine. D'où ce thème privilégié du roman de Bernanos, depuis *Sous le soleil de Satan* jusqu'à *la Joie* et au *Journal d'un curé de campagne*, celui de l'ambiguïté des voies de la sainteté, toujours sur le bord de la folie, toujours incertaine si son témoignage n'est pas scandale ou dérision. Les romans profanes de Bernanos — la *Nouvelle Histoire de Mouchette*, *Monsieur Ouine* — portent cette même marque de façon plus saisissante encore. Privés de la caution de la sainteté, fut-elle ambiguë, ils apportent un témoignage négatif; creusant derrière chaque être sa part de nuit, ils dévoilent pathétiquement un monde sans Dieu, qui, du même coup, l'appelle.

Ces thèmes polémiques et idéologiques sont certes inséparables de l'imagination de Bernanos. Ce serait cependant trahir l'œuvre que de la définir par ses thèmes. Elle est *d'abord* imagination et verbe, d'une rare vigueur, qui associent les vertus traditionnelles de la vérité humaine et le sens du concret à la force hallucinatoire. « Visionnaire passionné », disait Baudelaire de Balzac. L'expression convient admirablement à Bernanos. « Je voudrais dans mes livres, a-t-il écrit, lancer des escadrons d'images. » C'est à cette force d'imagination qu'il faut se rendre perméable pour pénétrer son œuvre. On découvre alors que la démesure et le désordre qu'on lui a souvent reprochés prennent corps dans l'unité d'une incomparable vision.

SOUS LE SOLEIL DE SATAN

1926

NOTICE

Ce qui se passait en 1926. — EN POLITIQUE. — En France : *ministères Briand (9 mars et 23 juin) ; ministère Herriot (19 juillet), immédiatement renversé et remplacé par le ministère Poincaré (21 juillet). Crise financière.*

Au Maroc : *reddition d'Abd el-Krim le 26 mai.*

En Angleterre : *ministère conservateur de Stanley Baldwin ; grève des mineurs.* En Allemagne : *présidence du maréchal Hindenburg ; Stresemann, ministre des Affaires étrangères, fait admettre son pays à la S. D. N.* En Russie : *lutte entre Staline et Trotsky, qui sera éliminé définitivement l'année suivante.* En Espagne : *dictature de Primo de Rivera.* En Italie : *dictature de Mussolini.* Aux U. S. A. : *présidence de Coolidge (républicain).*

EN LITTÉRATURE. — Poésie : *Paul Eluard*, Capitale de la douleur; *Georges Chennevière*, Pamir; *Max Jacob*, les Pénitents en maillot rose.

Théâtre . *J.-V. Pellerin*, Tête de rechange; *E. Bourdet*, la Prisonnière; *Ch. Méré*, le Lit nuptial; *H. Bernstein*, Félix.

Roman : *A. Gide*, les Faux-Monnayeurs; *J. Giraudoux*, Bella; *G. Duhamel*, la Pierre d'Horeb; *A. Maurois*, Bernard Quesnay; *A. Malraux*, la Tentation de l'Occident; *H. de Montherlant* : les Bestiaires.

Essais : *P. Valéry*, Rhumbs; *G. Duhamel*, Lettres au Patagon; *E. Jaloux*, Figures étrangères; *J. Prévost*, Essai sur l'introspection.

EN PEINTURE. — *Ouverture de la* Galerie surréaliste *à Paris ; Paul Klee, première exposition particulière à Paris ; M. Chagall, première exposition privée à New York ; R. Dufy, exposition chez Bernheim, décor pour le ballet* Palm Beach; *Zervos fonde les* Cahiers d'art; *mort de Cl. Monet.*

EN MUSIQUE. — *A. Honegger*, le Cantique des Cantiques; *I. Stravinsky*, Œdipus rex; *J. Ibert*, Angélique; *M. Ravel*, Chansons madécasses

DANS LES SCIENCES. — *1925 : principe d'Heisenberg et principe de Pauli en mécanique quantique ; 1927 : première vérification expérimentale des théories de L. de Broglie par les Américains Davisson et Germer*

La publication du livre et sa genèse. — *Sous le soleil de Satan* a été écrit dans les trains et les hôtels où son métier provisoire d'inspecteur d'assurances conduisait Bernanos. Il l'achève en février 1925 et le porte à son ami R. Vallery-Radot, qui l'accueille avec enthousiasme. Grâce à l'entremise de celui-ci, il sera publié chez Plon en mars 1926, dans la collection du « Roseau d'or » de S. Fumet et J. Maritain. Le livre connut un succès immédiat, consacré par deux articles retentissants de Léon Daudet dans *l'Action française* des 7 et 26 avril.

On a souvent rapproché le roman de Bernanos de la vie du curé d'Ars (1786-1859), précisément canonisé en 1925. Il n'est pas douteux que l'auteur ait pensé au curé d'Ars, plusieurs fois mentionné dans son livre. Comme son abbé Donissan, saint Jean-Baptiste-Marie Vianney, curé d'Ars, fut un prêtre paysan, modeste desservant d'une paroisse pauvre, dans laquelle sa réputation de confesseur et de directeur spirituel attirait une foule de pèlerins. Là cependant se borne le rapprochement. Le roman de Bernanos n'est nullement biographique. « Ah! non, déclare-t-il dans une interview en avril 1926, je ne suis pas si hardi de me proposer d'écrire jamais, de recomposer du dedans la vie d'un saint — je dis d'un saint véritable, authentique, donné pour tel par l'Église. » *Sous le soleil de Satan* est une œuvre d'imagination, à la fois réaliste et fantastique, sur le thème spirituel du mal et de la sainteté.

Nous avons dit plus haut à quelle généalogie littéraire se rattachait lui-même Bernanos. Aux noms mentionnés, il faut ajouter en le soulignant celui de Barbey d'Aurevilly, dont l'œuvre fut une de ses premières nourritures littéraires. Son influence est éclatante dans ce roman. « Lorsqu'en 1926, écrit justement Charles Du Bos, je lus la première partie[1] de *Sous le soleil de Satan*, l' « Histoire de Mouchette » — sans mérite aucun de ma part : cela sautait aux yeux —, le nom de Barbey aussitôt surgit. » Et les deux parties suivantes ne font que renforcer ce rapprochement. On retrouve ici à la fois le Barbey des romans psychologiques, celui des *Diaboliques* (1874), surtout peut-être celui des romans fantastiques, en particulier *l'Ensorcelée* (1854). Même sens de la terre et du mal, même mépris pour la plate vraisemblance, même goût du surnaturel. Ce rapprochement aide sans doute à faire justice de certaines attaques contre la crédibilité du roman de Bernanos. C'est ne pas voir que l'œuvre, comme celles de Barbey, est d'abord et très délibérément un conte fantastique, où le merveilleux se mêle étroitement au réel. On retrouve chez Bernanos comme chez Barbey l'acharnement contre le Siècle, le goût d'une spiritualité exigeante, enfin une imagination et un verbe athlétiques. Mais il faut ajouter que l'ampleur du langage et de la vision de Bernanos dépasse d'emblée celle de son devancier. C'est d'abord une impression de

1. En fait, le *Prologue*

puissance ardente et libre que donne le livre. « J'y trouve, écrit Claudel l'année de la publication, cette qualité royale, la force; cette domination magistrale des événements et des figures, et ce don spécial du romancier qui est ce que j'appellerai le don des ensembles indéchirables et des masses en mouvement. » Ce propos rend beaucoup mieux compte de l'œuvre, de l'unité profonde de son « architecture insolente », selon une expression de Gaétan Picon, que n'ont fait les fréquentes accusations de disparate et d'inégalité.

Unité plastique et spirituelle. — L'œuvre romanesque de Bernanos est tout entière formée par le thème religieux du mal et de la grâce. Ce thème, que des œuvres postérieures, comme le *Journal d'un curé de campagne*, traiteront peut-être avec plus de plénitude et d'équilibre, n'est incarné sans doute nulle part avec plus de violence que dans son premier roman. Ce livre le manifeste à nu, avec la puissance et l'ingénuité, pourrait-on presque dire, d'un « miracle » médiéval. Et à côté des influences récentes que nous signalions plus haut, il est bon de reconnaître cette lointaine, mais sensible parenté, qui aide à saisir la structure de l'œuvre. Les trois séquences du roman ont paru désordonnées, composées d'une série d'éclatants morceaux de bravoure mal soudés. C'est qu'elles ne se déroulent pas selon la conséquence psychologique que nous sommes habitués à demander au roman. Elles se présentent plutôt comme les illustrations d'une vie de saint dans un vitrail ou un bas-relief. Tel tableau ne fera pas paraître la figure centrale, mais préparera seulement sa venue : ainsi l' « Histoire de Mouchette ». Tel autre sera soudain occupé par un personnage épisodique qui sert de repoussoir au héros : ainsi les chapitres où l'auteur fait la caricature tragique de Saint-Marin (Deuxième partie, XI-XIV). Cependant, sous cette succession, il importe de sentir, outre l'unité plastique, la très forte unité du thème du mal et de la grâce, ou plus précisément encore, de la réversibilité des mérites. Rien n'éclaire mieux sur ce point la composition du roman que le commentaire qu'en a donné l'auteur lui-même :

« Cette petite Mouchette a surgi (dans quel coin de ma conscience ?) et tout de suite elle m'a fait signe, de ce regard avide et anxieux. [...] J'ai vu la mystérieuse petite fille entre son papa brasseur et sa maman. J'ai imaginé peu à peu son histoire. J'avançais derrière elle, je la laissais aller, je lui sentais un cœur intrépide. [...] Alors, peu à peu, s'est dessiné vaguement autour d'elle, ainsi qu'une ombre portée sur le mur, l'image même de son crime. [...] La première étape était franchie, elle était libre.

« Mais libre de quelle liberté ? Voyez-vous, j'avais beau faire : à mesure que se brisaient derrière elle, un par un, ces liens familiaux ou sociaux qui font de chacun de nous, même à l'avant-dernier degré de l'avilissement, des espèces d'animaux disciplinés, je sentais que ma lamentable héroïne s'enfonçait peu à peu dans un mensonge mille fois plus féroce et plus strict qu'aucune discipline. Autour de la misérable enfant révoltée, aucune route ouverte, aucune issue. Nul terme possible à cet élan frénétique vers une délivrance illusoire que la mort ou le néant.

« Comprenons-nous bien, le dogme catholique du péché originel et de la rédemption surgissait ici, non pas d'un texte, mais des faits, des circonstances et des conjectures[1]. [...] Ainsi l'abbé Donissan n'est pas apparu par hasard : le cri de désespoir de Mouchette l'appelait, le rendait indispensable. C'est ce que P. Claudel a exprimé dans une de ses magnifiques sentences : « Tout votre livre « s'ébranle, m'a-t-il écrit, pour venir au secours de cette petite « fille écrasée. »

« Mouchette [...] n'est pas seulement nécessaire à l'équilibre intérieur du roman; elle est cet équilibre même [...] sinon l'œuvre perd son sens, et la terrible expiation du curé de Lumbres n'est plus qu'une atroce et démentielle histoire. »

Ainsi, le « Prologue » et la « Première Partie » du roman forment un tout extrêmement équilibré : au crime et à l'avilissement de Mouchette répond la douloureuse vocation de sainteté du vicaire de Campagne, son défi au mal et l'offre de son salut pour le rachat des pécheurs. Le fruit de ce sacrifice, c'est l'ultime appel de Mouchette à la grâce divine au moment de son suicide. On retrouve la même utilisation du dogme de la réversibilité des mérites dans les *Dialogues des carmélites*, lorsque la sainte offre le repos de son âme à l'agonie pour que la novice atteinte d'une névrose de peur puisse affronter sereinement le martyre. Mais, dans cette œuvre posthume, le sacrifice est consommé avant que son fruit ne se manifeste : la sainte, en mourant dans l'angoisse, permet à la novice de mourir dans la joie, et au drame de se clore sur une note triomphante. *Sous le soleil de Satan*, au contraire, ajoute une « deuxième partie », qui, sans renverser le sens de l'œuvre, en change au moins la tonalité. A la mort de Mouchette, moment de secrète victoire sur le mal, qui maintient en effet comme une clef de voûte l'équilibre du roman, succède l'acte dérisoire du miracle manqué (Deuxième partie, V-VII). Ce dernier épisode accuse le thème de l'ambiguïté de la sainteté, qui, selon une perspective pascalienne, est comme la caution aveugle et douloureuse de son authenticité.

L'évocation d'une terre : l'Artois. — Il convient donc de souligner la forte cohérence de l'œuvre sous son apparence morcelée. A mettre en relief ces thèmes organisateurs, on risquerait pourtant de la trahir et de réduire à une thèse ce qui est d'abord création romanesque d'une rare puissance. « J'ai conscience, écrit Bernanos en 1925, au moment où il achève *Sous le soleil de Satan*, d'avoir mis vingt ans à créer dans ma tête un monde imaginaire d'une

1. Remarquable exemple de la confiance qu'un auteur peut avoir dans sa propre création, qu'il considère comme réalité!

singulière grandeur. » Il faut, pour bien lire le livre, se livrer d'abord à l'emprise concrète de ce monde imaginaire.

Imagination fortement incarnée, qui rêve les choses et les êtres dans leur substance. Notons en particulier que Bernanos situe les différentes parties de son roman dans deux localités réelles du Pas-de-Calais : d'abord, la commune de Campagne, au sud-est d'Etaples, à quelques kilomètres de ce Fressin où il a vécu ses dix premières années; puis la commune de Lumbres, un peu plus au nord, entre Saint-Omer et Boulogne. S'il n'a pas le souci, qu'on eût trouvé chez Balzac ou Flaubert, d'imposer au lecteur une description précise de ces lieux réels, en revanche, il évoque vivement autour de ces deux noms la présence d'une terre, le pays d'Artois qui est pour lui celui de l'enfance : c'est le bourg triste, la maison de brique et d'ardoise, son « jardin aux ifs taillés », « sa véranda toute nue qui sent le mastic grillé ». C'est la vieille église attiédie par le jour, son « odeur de pierre antique et de bois vermoulu » qui « glisse au long des piliers trapus, erre en brouillard sur les dalles mal jointes ou s'amasse dans les coins sombres, pareille à une eau dormante ». C'est le chemin creux qui mène à la gentilhommière, isolée « au fond du parc où les puissants arbres au feuillage noir, les pins de soixante-dix pieds, frémissaient de la cime, en grondant comme des ours ». C'est « la ferme au creux d'un pli de terrain »; sa « mauvaise barrière de bois qui grince et résiste entre ses montants pourris », « les deux brancards d'une charrette dressés vers le ciel avec une poule dessus ». Enfin, au-delà des collines, c'est la « muette étendue plate » sur laquelle le vent d'ouest soulève « une poussière d'eau glacée, au goût de sel », et que borde l'horizon incertain de la mer.

Les personnages. — Les êtres sont évoqués avec la même couleur et la même force : Malorthy, le paysan parvenu qui a laissé le moulin pour la brasserie, étroite tête, naïve et rusée, pauvrement meublée de préjugés laïcs et de plate ambition; Cadignan, seigneur découronné du village, nature sanguine et prudente, tout près de ses anciens métayers, appartenant comme eux à cette terre fruste, mais les dominant par une aisance atavique; Gallet, le médecin député, être dévitalisé, tenace à vivre pourtant, avec une bassesse obstinée qui s'enveloppe dans la conscience professionnelle et le bréviaire de Raspail. En regard, la haute figure de l'abbé Menou-Segrais; on sait quelle prédilection Bernanos gardera toujours pour le personnage du prêtre : il associe remarquablement chez le doyen de Campagne le sens de la nature et de sa pesanteur, le goût de l'ordre et même du confort, avec une lucidité sans complaisance à l'égard de la hiérarchie ecclésiastique et l'audace d'une spiritualité aventureuse qui lui fait reconnaître dans son étrange vicaire l'appel divin.

Derrière ces premiers rôles, quoique assez lointain, apparaît l'habitant anonyme de cette terre d'Artois : « Les paysans du canton, race goguenarde », qui « regardaient par en dessous avec méfiance ». A la ferme, « la maisonnée attentive, pressée autour du poêle » pour accueillir le vicaire maladroit. A l'église, « autour du confessionnal, le petit peuple féminin, habile à gagner la première place, querelleur, à mines dévotes, regards à double et triple détente, lèvres saintement jointes ou pincées d'un pli mauvais »

Bernanos, peintre réaliste. — Il y a chez Bernanos un peintre réaliste nerveux et dru, ayant le goût de la terre, des âmes et des corps qu'elle produit, dans la tradition de Balzac et même de Diderot. Sa peinture recourt aux procédés romanesques les plus classiques. Il aime le portrait : quelques traits justes évoquant la complexion d'un être. — ainsi les quelques lignes qui présentent Cadignan : « De taille médiocre, et déjà épaissi par l'âge, il portait en toute saison un habit de velours brun qui l'alourdissait encore. Tel quel, il charmait cependant par une espèce de bonne grâce et de politesse rustique dont il usait avec un sûr génie. » Il ne recule pas devant le morceau de bravoure du romancier — ainsi l'admirable portrait de Menou-Segrais, qui s'étend sur plusieurs pages. Mais il excelle surtout à faire vivre un être, dans sa singularité morale et sociale, par le dialogue. Ce don de mime verbal se manifeste avec un particulier bonheur dans la première partie du roman, lorsque Bernanos met aux prises Cadignan et Malorthy, puis Mouchette et chacun de ses deux amants. Mais bien d'autres chapitres nous font également regretter que l'œuvre dramatique de Bernanos soit restée si restreinte

Bernanos, romancier polémiste. — Cependant, si l'art de Bernanos doit incontestablement beaucoup à la tradition réaliste, et même naturaliste, ces mots, non seulement seraient insuffisants pour le décrire, mais le trahiraient grossièrement. Bernanos leur a porté la même exécration que ses maîtres Barbey d'Aurevilly et Léon Bloy, dont l'art, comme le sien, s'en est cependant en partie nourri.

Tout d'abord, cette peinture réaliste n'est point sereine ni ne veut l'être. Le polémiste, chez Bernanos, est inséparable du romancier. Il donne vie à ses personnages à partir de puissants partis pris, ceux-là mêmes des maîtres que nous nommions à l'instant : la haine d'un monde qu'il juge avili, l'attachement à des valeurs spirituelles qui meurent et la nostalgie d'une société vivante qui serait capable de les incarner. C'est sa haine, son indulgence, son amour qui inventent en regard Gallet, Cadignan, Menou-Segrais. Bref, dans cette peinture sociale, le pamphlétaire, ses colères et ses anathèmes, ses rêves sont vivement présents.

« Une imagination métaphysique ». — Mais surtout, s'il est vrai que Bernanos a le goût de la réalité des choses et des êtres, et que ses personnages vivent au niveau d'une psychologie traditionnelle de la vraisemblance, son roman déborde ce niveau de tous côtés, et là surtout se manifeste son originalité. « Imagination métaphysique », a dit avec une grande justesse Léon Daudet. Celle-ci ne contredit pas l'imagination réaliste. Ce monde dense et vraisemblable, dont nous sentons si bien les contours matériels et sociaux au cœur de deux bourgs de l'Artois, est partout enveloppé d'une autre dimension, surnaturelle, dont le romancier impose la présence. Ainsi le paysage ingrat et familier, la route triste entre ses talus vers le clocher d'Étaples, c'est *aussi* ce mystérieux labyrinthe nocturne où le futur saint va errer des heures en compagnie du Démon. Rien n'illustre mieux cet aspect de l'art de Bernanos que la création de Mouchette et de Donissan. Ces protagonistes sont peints de façon très différente des autres personnages. Eux aussi existent au niveau d'une psychologie de la vraisemblance et du type; mais ils n'y sont pas limités, il s'en faut. Le but du roman est même de faire sentir en eux, au-delà de ce conditionnement humain et social, la présence d'un autre conditionnement, mystérieux et tyrannique, dont le premier ne serait que l'apparence dérisoire. Bernanos commente lui-même son dessein en écrivant à propos de Mouchette : « Les sentiments les plus simples naissent et croissent dans une nuit jamais pénétrée, s'y confondent ou s'y repoussent selon de secrètes affinités, pareils à des nuages électriques, et nous ne saisissons à la surface des ténèbres que les brèves lueurs de l'orage inaccessible. C'est pourquoi les meilleures hypothèses psychologiques permettent peut-être de reconstituer le passé, mais non point de prédire l'avenir. Et, pareilles à beaucoup d'autres, elles dissimulent seulement à nos yeux un mystère dont l'idée seul accable l'esprit[1]. » Cette psychologie nocturne ouvre le personnage et le laisse indéfini; mais elle requiert en même temps de l'auteur et du lecteur une adhésion beaucoup plus intime. Nous ne pourrons point nommer ses mobiles; mais il nous force à épouser comme aveuglément ses gestes, ses sursauts, ses passions — la crise d'hystérie de Mouchette ou la flagellation de Donissan — et à pressentir au-delà les forces obscures par lesquelles ils *sont agis*. Imagination métaphysique qui demeure, notons-le, très concrète, puisqu'elle doit renoncer à cerner les êtres, à les étiqueter et par là à les abstraire, pour nous mêler intimement à leur nuit.

Quelques pages font admirablement comprendre comment une telle psychologie et un tel art se nourrissent du naturalisme en même temps qu'ils le renient : c'est le chapitre où Donissan, doué de double vue, croit lire devant lui l'âme de Mouchette et son histoire ancestrale, voit défiler les générations de névrosés et de pécheurs qui viennent se fondre dans ce fragile petit être, mais bien loin d'en expliquer l'ardeur et la perversité, comme ferait l'hérédité chère au naturalisme, accentuent autour d'elle le mystère en lui ajoutant l'épaisseur d'un passé infini[2].

1. *Sous le soleil de Satan.* V. p 36; **2.** Voir p. 90.

« Sous le soleil de Satan », conte fantastique et épique. — C'est dans les romans postérieurs, *l'Imposture*, *la Joie*, surtout *Monsieur Ouine*, que cette psychologie des ténèbres trouvera son expression la plus originale. Mais elle est vivement présente dans ce premier livre. Seulement la forme en est simplifiée, éclaircie, parce que ce livre, en même temps qu'il est un roman, a, comme nous le disions plus haut, certains caractères du conte fantastique et participe du merveilleux. S'il nous invite à vivre la passion de Mouchette et de Donissan, à subir avec ce dernier l'ambiguïté de la sainteté, toujours vidée de son espoir, rejetée à la névrose ou à la dérision, il donne, dès le titre, un nom très clair, lumineux même, à cette force obscure qui *agit* ses héros : « Sous le *Soleil* de Satan ». Cette force diffuse, comme dans le « Miracle » médiéval ou les contes fantastiques de Balzac, il la rassemble et la concrétise au centre de son roman sous les traits du maquignon diabolique qu'affronte le vicaire sur sa route.

Ainsi sur un autre plan, ou plutôt le long d'une autre trame, intimement mêlée à la trame romanesque, le mystère est-il nommé. Il devient *merveilleux* épique, et la lutte aveugle et douteuse des personnages se double d'une théomachie, d'une lutte de l'homme avec la divinité.

C'est sur ce caractère épique du premier roman de Bernanos qu'il faut insister pour conclure. Il renvoie encore, notons-le, à Balzac et à Barbey d'Aurevilly. Une note épique est présente dans toute l'œuvre de Bernanos, chez le pamphlétaire encore plus que chez le romancier peut-être : elle se manifeste alors surtout par un rythme, une respiration du verbe, plutôt que par des formes littéraires précises. Dans ce premier livre, au contraire, elle se traduit en images violentes qui relèvent de la tradition épique. Alain a dit très justement que l'épopée est une poésie dynamique et presque musculaire. On apostrophe avec le héros, on s'associe à son effort, on reçoit ou porte le coup qu'il donne. Ainsi Mouchette et Donissan sont-ils, sous leur frêle enveloppe de chair des êtres d'exception, investis d'une énergie héroïque. Nous sautons avec elle sur le fusil de chasse qui tuera le hobereau ; avec lui, nous paralysons de notre regard les soubresauts du maquignon démoniaque. Et ce combat, comme celui de Tobie ou de Diomède, est un combat avec les dieux.

La critique, avons-nous dit, a parfois dénoncé le caractère composite de l'œuvre Elle a vu dans la rencontre de Donissan et du Démon, puis dans son miracle manqué, une tentative peu convaincante de merveilleux moderne. qui jurerait avec la vigueur et l'humanité de l'histoire de Mouchette. C'est précisément méconnaître l'originalité et l'unité d'un art qui se nourrit du réel pour l'envelopper, l'absorber dans une autre dimension, celle d'un merveilleux épique qui dévoile derrière chaque être sa part d'infini.

BIBLIOGRAPHIE SOMMAIRE

Luc Estang — *Présence de Bernanos* (Paris, Plon, 1947).

Albert Béguin — *Georges Bernanos, essais et témoignages* (Paris, Seuil, 1949). — *Bernanos par lui-même* (Paris, Seuil, 1954).

Maurice Estève — *le Sens de l'amour dans les romans de Bernanos* (Paris, Minard, 1959). — *Georges Bernanos* (Paris, Hachette, 1981).

William Busch — *Souffrance et expiation dans la pensée de Bernanos* (Paris, Lettres modernes, 1962).

Guy Gaucher — *le Thème de la mort dans les romans de Bernanos* (Paris, Lettres modernes, 1967).

S. Marie-Céleste — *Bernanos et son optique de la vie chrétienne* (Paris, Nizet, 1967).

J.-C. Whitehouse — *le Réalisme dans les romans de Bernanos* (Paris, Lettres modernes, 1969).

Brian T. Fitch — *Dimensions et structures chez Bernanos* (Paris, Lettres modernes, 1970).

Henri Guillemin — *Regards sur Bernanos* (Paris, Gallimard, 1976).

Yvon Rivard — *l'Imaginaire et le quotidien. Essai sur les romans de Bernanos* (Paris, Lettres modernes, 1978).

Pour une étude plus particulière de *Sous le soleil de Satan*, on lira trois ouvrages parus sous la direction de M. Estève aux Lettres modernes :

Sources et dimensions de « Sous le soleil de Satan » (1971).

Les Ténèbres. Structures et personnages (1974).

Les Ténèbres. Images et imaginaire (1978).

SOUS LE SOLEIL DE SATAN

PROLOGUE

HISTOIRE DE MOUCHETTE

I

[...] Voici l'heure où commence l'histoire de Germaine Malorthy, du bourg de Terninques, en Artois. Son père était un de ces Malorthy du Boulonnais qui sont une dynastie de meuniers et de minotiers, tous gens de même farine, à faire d'un sac de blé bonne mesure, mais larges en affaires, et bien vivants. Malorthy le père vint le premier s'établir à Campagne[1], s'y maria et, laissant le blé pour l'orge, fit de la politique et de la bière, l'une et l'autre assez mauvaises. Les minotiers de Dœuvres et de Marquise[2] le tinrent dès lors pour un fou dangereux, qui finirait sur la paille, après avoir déshonoré des commerçants qui n'avaient jamais rien demandé à personne qu'un honnête profit. « Nous sommes libéraux de père en fils », disaient-ils, voulant exprimer par là qu'ils restaient des négociants irréprochables... Car le doctrinaire en révolte, dont le temps s'amuse avec une profonde ironie, ne fait souche que de gens paisibles. La postérité spirituelle de Blanqui a peuplé l'enregistrement, et les sacristies sont encombrées de celle de Lamennais.

Le village de Campagne a deux seigneurs. L'officier de santé[3] Gallet, nourri du bréviaire Raspail[4], député de l'arrondissement. Des hauteurs où son destin l'a placé, il contemple encore avec mélancolie le paradis perdu de la vie bourgeoise, sa petite ville obscure, et le salon familial de

1. *Campagne-lès-Hesdin :* gros bourg du Pas-de-Calais, au sud d'Étaples. Fressin, pays d'enfance de l'auteur, se trouve à quelques kilomètres ; 2. Localités du Pas-de-Calais ; 3. *Officier de santé :* autrefois, médecin autorisé à exercer sans avoir le diplôme de docteur (C'est le titre de Charles Bovary dans *Madame Bovary*, de Flaubert.) ; 4. *François Raspail :* chimiste et homme politique (1794-1878). Champion de la cause républicaine, en particulier en 1830 et 1848.

CAMPAGNE-
LÈS-HESDIN

Phot. Lhomme.

Phot. Izis.

GEORGES BERNANOS

reps[1] vert où son néant s'est enflé. Il croit honnêtement mettre en péril l'ordre social et la propriété, il le déplore et, se taisant ou s'abstenant toujours, il espère ainsi prolonger leur chère agonie.

« On ne me rend pas justice — s'est écrié un jour ce fantôme, avec une sincérité poignante — voyons! j'ai une conscience! »

Dans le même temps, M. le marquis de Cadignan menait au même lieu la vie d'un roi sans royaume. Tenu au courant des grandes affaires par les « Mondanités » du *Gaulois*[2] et la Chronique politique de la *Revue des Deux Mondes*[3], il nourrissait encore l'ambition de restaurer en France le sport oublié de la chasse au vol[4]. Malheureusement, les problématiques faucons de Norvège, achetés à grands frais, de race illustre, ayant trompé son espoir et pillé ses garde-manger, il avait tordu le cou à tous ces chevaliers teutoniques[5], et dressait plus modestement des émouchets[6] au vol de l'alouette et de la pie. Entre temps, il courait les filles; on le disait au moins, la malignité publique devant se contenter de médisances et de menus propos, car le bonhomme braconnait pour son compte, muet sur la voie[7] comme un loup*(**1**).

II

Malorthy le père eut de sa femme une fille, qu'il voulut d'abord appeler Lucrèce[8], par dévotion républicaine. Le maître d'école, tenant de bonne foi la vertueuse dame pour la mère des Gracches, fit là-dessus un petit discours, et rappela que Victor Hugo[9] avait célébré avant lui cette grande mémoire. Les registres de l'état civil s'ornèrent donc pour

1. *Reps :* étoffe de soie ou de laine à côtes, d'une banalité provinciale; **2.** *Le Gaulois :* journal fondé en 1867 et devenu, en 1882, l'organe du parti monarchiste; **3.** *Revue des Deux Mondes :* revue d'avant-garde dans la période romantique, devenue au XXe siècle une publication conservatrice et modérée; **4.** Chasse pratiquée avec des oiseaux de proie, en général des faucons, dressés à cet usage; **5.** *Chevaliers teutoniques :* ordre hospitalier et militaire allemand fondé vers 1128 à Jérusalem par les croisés; **6.** *Emouchet :* mâle de l'épervier, oiseau moins noble que le faucon; **7.** *Voie :* la piste d'un animal; **8.** *Lucrèce :* Romaine qui se tua de désespoir après avoir été outragée par le tyran Tarquin le Superbe, événement tragique qui amena l'établissement de la république à Rome, en 510 av. J.-C.; **9.** Hugo a écrit un drame historique sur *Lucrèce Borgia*, fille du pape Alexandre VI. Le maître d'école la confond avec la vertueuse Romaine, qui n'a d'ailleurs rien de commun non plus avec la mère des Gracchus.

une fois de ce nom glorieux. Malheureusement le curé, pris de scrupule, parla d'attendre un avis de l'archevêque, et, bon gré mal gré, le fougueux brasseur dut souffrir que sa fille fût baptisée sous le nom de Germaine.

« Je n'aurais pas cédé pour un garçon, dit-il, mais une demoiselle*(2)... »

La demoiselle atteignit seize ans.

Un soir, Germaine entra dans la salle, à l'heure du souper, portant un seau plein de lait frais... A deux pas du seuil, elle s'arrêta net, fléchit sur ses jambes et pâlit.

« Mon Dieu! s'écria Malorthy, la petite tombe faible! »

La pauvrette appuya ses deux mains sur son ventre, et fondit en larmes. Le regard aigu de la mère Malorthy rencontra celui de sa fille.

« Laisse-nous un moment, papa », dit-elle.

Comme il arrive, après mille soupçons confus, à peine avoués, l'évidence éclatait tout à coup, faisait explosion. Prières, menaces, et les coups même, ne purent tirer de la fille obstinée autre chose que des larmes d'enfant. La plus bornée manifeste en de telles crises un sang-froid lucide, qui n'est sans doute que le sublime de l'instinct. Où l'homme s'embarrasse, elle se tait. En surexcitant la curiosité, elle sait bien qu'elle désarme la colère.

Huit jours plus tard, cependant, Malorthy dit à sa femme, entre deux bouffées de sa bonne pipe :

« J'irai demain chez le marquis. J'ai mon idée. Je me doute de tout. »

[Le père de Mouchette se rend donc chez le châtelain de Campagne.]

Jacques de Cadignan avait alors atteint son neuvième lustre[1]. De taille médiocre, et déjà épaissie par l'âge, il portait en toute saison un habit de velours brun qui l'alourdissait encore. Tel quel, il charmait cependant, par une espèce de bonne grâce et de politesse rustique dont il usait avec un sûr génie. Comme beaucoup de ceux qui vivent dans l'obsession du plaisir, et dans la présence réelle ou imaginaire du compagnon féminin, quelque soin qu'il prît

1. *Lustre :* sacrifice expiatoire qui avait lieu à Rome tous les cinq ans; d'où espace de cinq ans.

de paraître brusque, volontaire et même un peu rude, il se trahissait en parlant; sa voix était la plus riche et nuancée, avec des éclats d'enfant gâté, pressante et tendre, secrète. Et il avait aussi d'une mère irlandaise des yeux bleu pâle, d'une limpidité sans profondeur, pleins d'une lumière glacée*(**3**).

« Bonsoir, Malorthy, dit-il, asseyez-vous. »

Malorthy s'était levé en effet. Il avait préparé son petit discours et s'étonnait de n'en plus retrouver un mot. D'abord il parla comme en rêve, attendant que la colère le délivrât.

« Monsieur le marquis, fit-il, il s'agit de notre fille.

— Ah!... dit l'autre.

— Je viens vous parler d'homme à homme. Depuis cinq jours qu'on s'est aperçu de la chose, j'ai réfléchi, j'ai pesé le pour et le contre; il n'est que de parler pour s'entendre, et j'aime mieux vous voir avant d'aller plus loin. On n'est pas des sauvages, après tout!

— Aller où... » demanda le marquis.

Puis il ajouta tranquillement, du même ton :

« Je ne me moque pas de vous, Malorthy, mais, nom d'une pipe, vous me proposez une charade! Nous sommes, vous et moi, trop grands garçons pour ruser et tourner autour du pot. Voulez-vous que je parle à votre place? Hé bien! la petite est enceinte, et vous cherchez au petit-fils un papa... Ai-je bien dit?

— L'enfant est de vous! » s'écria le brasseur, sans plus tarder.

Le calme du gros homme lui faisait froid dans le dos. Des arguments qu'il avait repassés un par un, irréfutables, il n'en trouvait pas qu'il eût osé seulement proposer. Dans sa cervelle, l'évidence se dissipait comme une fumée.

« Ne plaisantons pas, reprit le marquis. Je ne vous ferai pas d'impolitesse avant d'avoir entendu vos raisons. Nous nous connaissons, Malorthy. Vous savez que je ne crache pas sur les filles; j'ai eu mes petites aventures, comme tout le monde. Mais, foi d'honnête homme! il ne se fait pas un enfant dans le pays sans que vos sacrées commères ne me cherchent des *si* et des *mais*, des *il paraît* et des *peut-être*... »

[Le hobereau répond avec habileté, dominant Malorthy par son assurance et son apparent détachement. Celui-ci décide de lui faire peur.]

« On ne se débarrasse pas d'une jolie fille aussi aisément que d'un vieux bonhomme, monsieur de Cadignan, tout le monde sait ça... Vous êtes bien connu, voyez-vous, et elle vous dira elle-même son fait, mille diables! Les yeux dans les yeux, en public, car elle a du sang sous les ongles, la petite!... Au pis aller, nous aurons les rieurs pour nous...

— Je voudrais voir ça, ma foi, dit l'autre.

— Vous le verrez, jura Malorthy.

— Allez le lui demander, s'écria Cadignan, allez le lui demander vous-même, l'ami! »

Le brasseur revit un instant le pâle petit visage résolu, indéchiffrable, et cette bouche si fière qui, depuis huit jours, refusait son secret... Alors il cria :

« Malin des malins!... Elle a tout dit à son père! »

Et il recula de deux pas.

Le regard du marquis hésita une seconde, le toisa de la tête aux pieds, puis tout à coup se durcit. Le bleu pâle des prunelles verdit. A ce moment, Germaine eût pu y lire son destin.

Il alla jusqu'à la fenêtre, la ferma, revint vers la table, toujours silencieux. Puis il secoua ses fortes épaules, s'approcha de son visiteur à le toucher, et dit seulement :

« Jure-le, Malorthy!

— C'est juré! » répondit le brasseur.

Ce mensonge lui parut sur-le-champ une ruse honnête. De plus, il eût été bien embarrassé de se dédire. Une idée seulement traversa toutefois sa cervelle, mais qu'il ne put fixer, et dont il ne sentit que l'angoisse. Entre deux routes offertes, il eut cette impression vague d'avoir choisi la mauvaise et de s'y être engagé à fond, irréparablement.

Il s'attendait à un éclat; il l'eût souhaité. Cependant le marquis dit avec calme :

« Allez-vous-en, Malorthy. Mieux vaut s'en tenir là pour aujourd'hui. Vous dans un sens, moi dans l'autre, nous sommes dupes d'une petite gueuse qui mentait avant de savoir parler. Attention!... Les gens qui vous conseillent sont peut-être assez malins pour vous éviter deux ou trois bêtises, dont la plus grosse serait de vouloir m'intimider. Qu'on pense de moi ce qu'on voudra, je m'en fiche! En somme, les tribunaux ne sont pas faits pour les chiens, si le cœur vous en dit... Bien le bonjour!

— Qui vivra verra! » répondit noblement le brasseur.

Et, comme il méditait une autre réponse, il se retrouva dehors, seul et quinaud.

« Ce diable d'homme, dit-il plus tard, il donnerait de la drêche[1] pour de l'orge, qu'on lui dirait encore merci... »

Il repassait en marchant tous les détails de la scène, se composant à mesure, comme il est d'usage, un rôle avantageux. Mais, quoi qu'il fît, son bon sens devait convenir d'un fait accablant pour son amour-propre; cette entrevue de puissance à puissance, dont il espérait tant, n'avait rien conclu. Les dernières paroles de Cadignan, toutes pleines d'un sens mystérieux, ne cessaient pas non plus de l'inquiéter pour l'avenir... « Vous dans un sens, moi dans l'autre, nous avons été gentiment dupés... » Il semblait que cette petite fille les eût renvoyés dos à dos*(**4**).

[Le brasseur retourne chez lui, cherchant une compensation intérieure dans la pensée de son enrichissement, qui le met au-dessus du châtelain et du médecin-député. Il décide d'envoyer sa fille faire secrètement ses couches à Amiens.]

⁂

... C'était un matin du mois de juin; au mois de juin un matin si clair et sonore, un clair matin.

« Va voir comment nos bêtes ont passé la nuit! » avait commandé maman Malorthy (car les six belles vaches étaient au pré depuis la veille)... Toujours Germaine reverrait cette pointe de la forêt de Sauves, la colline bleue, et la grande plaine vers la mer, avec le soleil sur les dunes.

L'horizon qui déjà s'échauffe et fume, le chemin creux encore plein d'ombre, et les pâtures tout autour, aux pommiers bossus. La lumière aussi fraîche que la rosée. Toujours elle entendra les six belles vaches qui s'ébrouent et toussent dans le clair matin. Toujours elle respirera la brume à l'odeur de cannelle et de fumée, qui pique la gorge et force à chanter. Toujours elle reverra le chemin creux où l'eau des ornières s'allume au soleil levant... Et plus merveilleux encore, à la lisière du bois, entre ses deux chiens Roule-à-Mort et Rabat-Joie, son héros, fumant sa pipe de bruyère, dans son habit de velours et ses grosses bottes, comme un roi.

Ils s'étaient rencontrés trois mois plus tôt, sur la route

1. *Drêche :* résidu de l'orge qui a servi à faire de la bière.

de Desvres, un dimanche. Ils avaient marché côte à côte jusqu'à la première maison. [...]

A seize ans, Germaine savait aimer (non point rêver d'amour, qui n'est qu'un jeu de société)... Germaine savait aimer, c'est-à-dire qu'elle nourrissait en elle, comme un beau fruit mûrissant, la curiosité du plaisir et du risque, la confiance intrépide de celles qui jouent toute leur chance en un coup, affrontent un monde inconnu, recommencent à chaque génération l'histoire du vieil univers. Cette petite bourgeoise au teint de lait, au regard dormant, aux mains si douces, tirait l'aiguille en silence, attendant le moment d'oser, et de vivre. Aussi hardie que possible pour imaginer ou désirer, mais organisant toutes choses, son choix fixé, avec un bon sens héroïque*(**5**). Bel obstacle que l'ignorance, lorsqu'un sang généreux, à chaque battement du cœur, inspire de tout sacrifier à ce qu'on ne connaît pas! La vieille Malorthy, née laide et riche, n'avait jamais espéré pour elle-même d'autre aventure qu'un mariage convenable, qui n'est affaire que de notaire, vertueuse par état, mais elle n'en gardait pas moins le sentiment très vif de l'équilibre instable de toute vie féminine, comme d'un édifice compliqué, que le moindre déplacement peut rompre.

« Papa, disait-elle au brasseur, il faut de la religion pour notre fille... »

Elle eût été bien embarrassée d'en dire plus, sinon qu'elle le sentait bien. Mais Malorthy ne se laissait pas convaincre :

« Qu'a-t-elle besoin d'un curé, pour apprendre en confesse tout ce qu'elle ne doit pas savoir? Les prêtres faussent la conscience des enfants, c'est connu. »

[Son père voulait la mettre au lycée de Montreuil. Mais la mère s'y est opposée. Ainsi Germaine a-t-elle grandi dans la solitude de cette ingrate maison de brique.]

Dans le jardin aux ifs taillés, sous la véranda toute nue, qui sent le mastic grillé, c'est là qu'elle s'est lassée d'attendre on ne sait quoi, qui ne vient jamais, la petite fille ambitieuse... C'est de là qu'elle est partie, et elle est allée plus loin qu'aux Indes... Heureusement pour Christophe Colomb, la terre est ronde; la caravelle légendaire, à peine eut-elle engagé son étrave, était déjà sur la route du retour... Mais une autre route peut être tentée, droite, inflexible, qui s'écarte toujours, et dont nul ne revient. Si Germaine ou celles qui la suivront demain pouvaient parler, elles diraient : « A quoi bon s'engager une fois dans votre bon chemin, qui ne mène nulle part ?... Que voulez-vous que je fasse d'un univers rond comme une pelote*(**6**) ? »

Tel semblait né pour une vie paisible, qu'un destin tragique attend. Fait surprenant, dit-on, imprévisible... Mais les faits ne sont rien : le tragique était dans son cœur.

***

[Ce soir-là, donc, Malorthy, humilié par son entrevue avec Cadignan, veut prendre sa revanche sur sa fille et la faire parler.]

C'est pourquoi, sitôt le souper achevé, Malorthy, tout à coup, de sa voix de commandement :

« Fillette, dit-il, j'ai à te parler... »

Germaine leva la tête, reposa lentement son tricot sur la table, et attendit.

« Tu m'as manqué, continua-t-il sur le même ton, gravement manqué... Une fille qui faute, dans la famille, c'est comme un failli[1]..., tout le monde peut nous montrer demain au doigt, nous, des gens sans reproche, qui font honneur à leurs affaires, et ne doivent rien à personne. Hé bien ! au lieu de nous demander pardon, et d'aviser avec nous, comme ça ce doit, qu'est-ce que tu fais ? Tu pleures à t'en faire mourir, tu fais des *oh !* et des *ah !* voilà pour les jérémiades. Mais pour renseigner ton père et ta mère, rien de fait. Silence et discrétion, bernique[2] ! Ça ne durera pas un jour de plus, conclut-il en frappant du poing sur la table, ou tu sauras comment je m'appelle ! Assez pleuré ! Veux-tu parler, oui ou non ?

— Je ne demande pas mieux, » répondit la pauvrette, pour gagner du temps.

La minute qu'elle attendait, en la redoutant, était venue, elle n'en doutait pas ; et voilà qu'à l'instant décisif les idées qu'elle avait mûries en silence, depuis une semaine, se présentaient toutes à la fois, dans une confusion terrible.

« J'ai vu ton amant tout à l'heure, poursuivit-il ; de mes yeux vu... Mademoiselle s'offre un marquis ; on rougit de

1. *Failli :* un commerçant qui a fait faillite ; **2.** *Bernique :* exclamation qui exprime un espoir déçu. Probablement empruntée au breton.

la bière du papa... Pauvre innocente qui se croit déjà dame et châtelaine, avec des comtes et des barons, et .n page pour lui porter la queue de sa robe!... Enfin nous avons eu un petit mot ensemble, lui et moi. Voyons si nous sommes d'accord : tu vas me promettre de filer droit, et d'obéir les yeux fermés. »

Elle pleurait à petits coups, sans bruit, le regard clair à travers ses larmes. L'humiliation qu'elle avait crainte par avance ne l'effrayait plus. « J'en mourrai de honte bien sûr! » se répétait-elle la veille encore, attendant d'heure en heure un éclat. *Et maintenant elle cherchait cette honte, et ne la trouvait plus**(**7**).

« M'obéiras-tu? répétait Malorthy.

— Que voulez-vous que je fasse? fit-elle.

[Il voudrait obtenir d'elle confirmation du nom de son amant, et l'envoyer consulter Gallet, en qui il met toute sa confiance de républicain éclairé.]

— Laisse-moi un moment, dit alors la vieille Malorthy, quitte-moi[1] parler!... »

Elle prit la tête de sa fille entre ses deux mains.

« Pauvre sotte, fit-elle, à qui veux-tu avouer la vérité, sinon à ton père et à ta mère? Quand je me suis doutée de la chose, il était déjà trop tard, mais depuis! A présent, tu sais ce qu'elles valent, les promesses des hommes? Tous des menteurs, Germaine! La demoiselle Malorthy?... fi donc! Je ne la connais pas! Et tu ne serais pas assez fière pour lui faire rentrer son mensonge dans la gorge? Tu laisseras croire que tu t'es donnée à un gars de rien, à un valet, à un chemineau? Allons, avoue-le! Il t'a fait promettre de ne rien dire?... Il ne t'épousera pas, ma fille! Veux-tu que je te dise, moi? Son notaire de Montreuil a déjà l'ordre de vente de la ferme des Charmettes, moulin et tout. Le château y passera comme le reste. Un de ces matins, bernique! Plus personne! Et pour toi, la risée d'un chacun?... Mais réponds-moi donc, tête de bois! » s'écria-t-elle.

... « Plus personne... » Des mots entendus, elle ne retenait que ceux-là. Seule... Abandonnée, découronnée, retombée... Seule dans le troupeau commun... repentie!... Que craindre au monde, sinon la solitude et l'ennui? Que craindre, sinon

1. *Quitte-moi* : laisse-moi. Tournure provinciale.

cette maison sans joie? Alors, en croisant les mains sur son cœur, elle cherchait naïvement ses jeunes seins, la petite poitrine profonde, déjà blessée. Elle y comprima ses doigts sous l'étoffe légère, jusqu'à ce qu'une nouvelle certitude jaillit de sa douleur, avec un cri de l'instinct.

« Maman! Maman! J'aime mieux mourir! [...] Pourquoi me faites-vous du mal, à la fin! Décidez ce qui vous plaira, battez-moi, chassez-moi, je me tuerai... Mais je ne vous dirai rien, là, tout de même! Et pour M. le marquis, c'est des mensonges; il ne m'a seulement pas touchée.

— Garce! murmurait le brasseur entre ses dents.

— A quoi bon m'interroger, si vous ne voulez pas me croire? » répétait-elle, d'une voix d'enfant.

Elle affrontait son père, elle le bravait à travers ses larmes; elle se sentait plus forte de toute sa jeunesse, de toute sa cruelle jeunesse.

« Te croire? fit-il. Te croire? Il faut plus malicieuse que toi pour rouler papa lapin... Veux-tu que je dise? Il a fini par avouer, ton galant! Je lui ai poussé une botte, à ma façon : « Niez si vous voulez, ai-je dit, la petite a tout raconté. »

— Oh! ma...man! maman, bégaya-t-elle, il a... osé..., Il a osé! »

Ses beaux yeux bleus, tout à coup secs et brûlants, devinrent couleur de violette; son front pâlit, et elle remuait en vain des mots dans sa bouche aride.

« Tais-toi, tu vas nous la tuer, répétait la mère Malorthy. Misère de nous! »

Mais, à défaut de parole, les yeux bleus en avaient déjà trop dit. Le brasseur reçut ce regard chargé de mépris, furtif. Telle qui défend ses petits est moins terrible et moins prompte que celle-là qui se voit arracher la chair de sa chair, son amour, cet autre fruit.

« Sors d'ici, va-t'en! » bégayait le père outragé.

Elle attendit un moment, les yeux baissés, la lèvre tremblante, retenant l'aveu prêt à s'échapper comme une suprême injure. Puis elle ramassa son tricot, l'aiguille et sa pelote, et passa le seuil d'un pas fier, plus rouge qu'une lieuse de gerbe, un jour de moisson*(**8**).

Mais, sitôt libre, elle franchit l'escalier en deux bonds de biche, et referma sa porte en coup de vent. Par la fenêtre entrouverte, elle pouvait voir au bout de l'allée, entre deux hortensias, la grille de fonte peinte en blanc, qui fermait son petit univers, à la limite d'un champ de poireaux... Par-delà, d'autres maisonnettes de briques, à l'alignement, jusqu'au détour de la route, où fume un mauvais toit de chaume sur quatre murs de torchis tout crevés, séjour du bonhomme Lugas, dernier mendiant de la commune... Et ce chaume croulant, au milieu des belles tuiles vernies, c'est encore un autre mendiant, un autre homme libre.

Elle s'étendit sur son lit, la joue au creux de l'oreiller. Elle tâchait de rassembler ses idées, de les remettre au net, et n'entendait plus, dans sa cervelle confuse, que le bourdonnement de la colère... Ah! pauvrette! dont le destin se décide sur un lit d'enfant bien clair, qui sent l'encaustique et la toile fraîche!

Deux heures, Germaine remua dans sa tête assez de projets pour conquérir le monde, si le monde n'avait déjà son maître, dont les filles n'ont nul souci... Elle gémit, cria, pleura, sans pouvoir changer grand-chose à l'évidence inexorable. Son aventure connue, la faute avouée, quelle chance de revoir assez tôt son amant, de le revoir même? S'y prêterait-il, seulement? Il croit que j'ai trahi son secret, se disait-elle, il ne m'estimera plus. « Un de ces matins, bernique! » s'était écriée tout à l'heure la mère Malorthy... Chose étrange! pour la première fois, elle avait ressenti quelque angoisse, non pas à la pensée de l'abandon, mais de sa future solitude. La trahison ne lui faisait pas peur, elle n'y avait jamais rêvé. Cette petite vie bourgeoise, respectable, l'honnête maison de briques, la brasserie bien achalandée[1] avec le moteur à gaz pauvre[2] — la bonne conduite qui porte en elle sa récompense — les égards que se doit à soi-même une jeune personne, fille de commerçant notable, — oui, la perte de tous ces biens ensemble ne l'inquiétait pas une minute. Pour la voir en sa robe du dimanche, sagement peignée, pour entendre son rire vif et frais, le père Malorthy ne doutait point que sa demoiselle fût accomplie, « élevée comme une reine » disait-il parfois, non sans fierté. Il disait encore : « J'ai ma conscience, cela suffit. » Mais il ne confronta jamais que sa conscience et son grand livre[3].

1. *Achalandée :* qui a de nombreux clients (chalands); 2. *Gaz pauvre :* gaz obtenu par la combustion incomplète de la houille en colonne épaisse dans des gazomètres spéciaux (appelé également gaz d'eau); 3. *Grand livre :* livre de comptes que doit tenir tout commerçant.

Le vent fraîchit : au loin les fenêtres à petits carreaux flambèrent une à une; l'allée sablée ne fut plus au-dehors qu'une blancheur vague, et le ridicule petit jardin s'élargit et s'approfondit soudain sans mesure, à la dimension de la nuit... Germaine s'éveilla de sa colère, comme d'un rêve. Elle sauta du lit, vint écouter à la porte, n'entendit plus rien que l'habituel ronflement du brasseur et le solennel tic-tac de l'horloge, revint vers la fenêtre ouverte, fit dix fois le tour de sa cage étroite, sans bruit, souple et furtive, pareille à un jeune loup... Hé quoi? Minuit déjà?

Un profond silence, c'est déjà le péril et l'aventure, un beau risque; les grandes âmes s'y déploient comme des ailes. Tout dort; nul piège... « Libre! » dit-elle tout à coup, de cette voix basse et rauque que son amant n'ignorait pas, avec un gémissement de plaisir... Elle était libre, en effet.

Libre! Libre, répétait-elle, avec une certitude grandissante. Et, certes, elle n'aurait su dire qui la faisait libre, ni quelles chaînes étaient tombées. Elle s'épanouissait seulement dans le silence complice... Une fois de plus, un jeune animal féminin, au seuil d'une belle nuit, essaie timidement, puis avec ivresse, ses muscles adultes, ses dents et ses griffes.

Elle quittait tout le passé comme le gîte d'un jour.

Elle ouvrit sa porte à tâtons, descendit l'escalier marche à marche, fit grincer la clef dans la serrure, et reçut en plein visage l'air du dehors, qui jamais ne lui parut si léger. Le jardin glissa comme une ombre... : la grille dépassée... la route, et le premier détour de la route... Elle ne respira qu'au-delà, laissant le village derrière elle, dans les arbres, compact, obscur... Alors elle s'assit sur le talus, toute frémissante encore du plaisir de la découverte... Le chemin qu'elle avait fait lui parut immense. La nuit devant elle s'ouvrait comme un asile et comme une proie... Elle ne formait aucun projet, elle sentait dans sa tête un vide délicieux... « Hors d'ici! Va-t'en! » disait tout à l'heure le père Malorthy. Quoi de plus simple? Elle était partie*(**9**).

III

« C'est moi », dit-elle.

Il se leva d'un bond, stupéfait. Un cri de tendresse, un mot de reproche eût sans doute fait éclater sa colère. Mais il la vit toute droite et toute simple, sur le seuil de la porte, en apparence à peine émue. Derrière elle, sur le gravier, remuait son ombre légère. Et il reconnut tout de suite le regard sérieux, imperturbable qu'il aimait tant, et cette autre petite lueur aussi, insaisissable, au fond des prunelles pailletées. Ils se reconnurent tous les deux.

« Après la visite du papa, la foudre suspendue sur ma tête — à une heure du matin chez moi — tu mériterais d'être battue !

— Dieu ! que je suis fatiguée ! fit-elle. Il y a une ornière dans l'avenue ; je suis tombée deux fois dedans. Je suis mouillée jusqu'aux genoux... Donne-moi à boire, veux-tu ? »

Jusqu'alors, une parfaite intimité, et même quelque chose de plus, n'avait rien changé au ton habituel de leur conversation. « Monsieur », disait-elle encore. Et parfois « monsieur le marquis ». Mais cette nuit elle le tutoyait pour la première fois.

« On ne peut pas nier, s'écria-t-il joyeusement, tu as de l'audace. »

Elle prit gravement le verre tendu et s'efforça de le porter à sa bouche sans trembler, mais ses petites dents grincèrent sur le cristal, et ses paupières battirent sans pouvoir retenir une larme qui glissa jusqu'à son menton.

« Ouf ! conclut-elle. Tu vois, j'ai la gorge serrée d'avoir pleuré. J'ai pleuré deux heures sur mon lit. J'étais folle. Ils auraient fini par me tuer, tu sais... Ah ! oui, de jolis parents j'ai là ! Ils ne me reverront jamais.

— Jamais ? s'écria-t-il, ne dis pas de bêtises, Mouchette (c'était son nom d'amitié). On ne laisse pas les filles courir à travers les champs, comme un perdreau de la saint-Jean[1]. Le premier garde venu te rapportera dans sa gibecière.

— Pensez-vous ? dit-elle. J'ai de l'argent. Qu'est-ce qui m'empêche de prendre demain soir le train de Paris, par exemple ? Ma tante Eglé habite Montrouge — une belle maison, avec une épicerie. Je travaillerai. Je serai très heureuse.

— Petite sotte, es-tu majeure, oui ou non ?

— Ça viendra, répondit-elle, imperturbable. Il n'est que d'attendre. »*(**10**)

1. Saint Jean-Baptiste, le 24 juin. La chasse n'est pas ouverte et les perdreaux sont encore tout jeunes.

Elle détourna les yeux un moment, puis, levant sur le marquis un regard tranquille :

« Gardez-moi ? fit-elle.

— Te garder, par exemple ! s'écria-t-il en marchant de long en large pour mieux cacher son embarras. Te garder ? Tu ne doutes de rien. Où te garder ? Crois-tu que je dispose ici d'une oubliette[1] à jolies filles ? [...]

— Ne plaisantons pas, ma fille, et mettons les points sur les i. D'ailleurs, je ne veux pas me fâcher. Tu dois comprendre que nous sommes intéressés tous les deux à laisser passer l'orage. Puis-je te conduire demain à la mairie, oui ou non ? Alors ? Tu ne prétends pas, j'imagine, rester ici à la barbe du papa ? Ma foi, nous en verrions de belles ! Il est une heure et demie, conclut-il en tirant sa montre ; je m'en vas atteler Bob, et te mener grand train jusqu'au chemin des Gardes. Tu seras rentrée chez toi avant le jour. Ni vu ni connu. Et tu opposeras demain à Malorthy un front d'airain. Quand le moment sera venu nous aviserons. C'est promis. Allons ! ouste !

— Oh ! non ! fit-elle. Je ne retournerai pas à Campagne ce soir.

— Où coucheras-tu, tête de bois ?

— Ici. Sur la route. N'importe où. Qu'est-ce que cela me fait ? [...]

— Je suis bien bon d'espérer convaincre une entêtée. Va donc, si tu veux, coucher avec les alouettes. Est-ce ma faute après tout ? J'aurais pu faire mieux, mais il fallait me laisser le temps : un mois de plus, la vieille boîte était vendue, j'étais libre. Aujourd'hui ton père tombe chez moi comme une bombe, et me menace du gendarme ; bref, un scandale des mille diables. Demain, j'aurais tout le canton sur les bras ; il ne faut que cette vieille chouette pour rassembler cent corbeaux. Et pourquoi ? A qui la faute ? Parce qu'une petite fille qui fait aujourd'hui l'entêtée a pris peur, et nous a livrés pieds et poings liés, advienne que pourra ! On a dit tout à papa, comme à confesse... et puis, débrouille-toi, mon ami ! Je ne te reproche rien, ma belle, mais tout de même !... Allons ! Allons ! ne pleure plus, ne pleure pas*(**11**). »

Elle appuyait son front sur la vitre et pleurait sans bruit. Et, croyant l'avoir convaincue, il lui semblait déjà moins

1. *Oubliette :* cachot souterrain où on enfermait les prisonniers dans un château médiéval.

difficile de s'apitoyer et de la plaindre. Car il est naturel à l'homme de haïr sa propre souffrance dans la souffrance d'autrui.

Il essaya de tourner vers lui la petite tête obstinée; il pressait des deux mains la nuque blonde.

« Pourquoi pleures-tu ? Je ne pensais pas un mot de ce que je disais... Après tout, je vois ça d'ici : le papa Malorthy et son grand air de conseiller général, un jour de comice... « Répondez-moi, malheureuse!... Dites la vérité à votre père... » Il aurait fini par te battre... Il ne t'a pas battue, au moins ?

— Oh! non, dit-elle entre deux sanglots.

— Mais lève donc le nez, Mouchette; c'est une affaire enterrée.

— Il ne sait rien du tout, s'écria-t-elle en fermant les poings. Je n'ai rien dit!

— Par exemple! » fit-il.

Certes, il ne comprenait pas grand-chose à cette explosion de l'orgueil blessé. Mais il voyait avec plus d'étonnement encore se dresser devant lui une Germaine*(**12**) inconnue, les yeux mauvais, le front barré d'un pli de colère viril, et la lèvre supérieure un peu retroussée, laissant voir toutes les dents blanches.

« Allons! conclut-il, tu devais le dire plus tôt.

— Vous ne m'auriez pas crue », répondit-elle, après un silence, la voix encore frémissante, mais le regard déjà clair et froid.

Il la regardait, non sans méfiance. Ce caprice, cette humeur vive et hardie, ces discours aussi brusques que le crochet d'un lièvre lui étaient devenus familiers. [...]

« Tu ne me crois pas ? reprit-elle, après avoir longuement médité, comme si elle donnait cette conclusion à un monologue intérieur.

— Je ne te crois pas ?

— Ne cherche pas à me tromper, va! J'ai bien réfléchi depuis huit jours, mais depuis un quart d'heure il me semble que je comprends tout, la vie, quoi! Tu peux rire! D'abord, je ne me connaissais pas du tout moi-même — moi — Germaine. On est joyeux, sans savoir, d'un rien, d'un beau soleil... des bêtises... Mais enfin tellement joyeux, d'une telle joie à vous étouffer, qu'on sent bien qu'on désire autre chose en secret. Mais quoi ? et, toutefois, déjà nécessaire.

Ah ! sans elle, le reste n'est rien ! Je n'étais pas si bête que de te croire fidèle. Penses-tu ! Filles et garçons, nous n'avons pas nos yeux dans nos poches ; on apprend plus au long des haies qu'au catéchisme du curé ! Nous disions de toi : « Ma chère, les plus belles, il les a !... » Je pensais : « Pourquoi pas moi ! » C'est bien mon tour... Et de voir à présent que les gros yeux de papa t'ont fait peur... Oh ! je te déteste !

— Ma parole, elle est à lier, s'écria Cadignan, stupéfait. Tu n'as pas un grain de bon sens, Mouchette, avec tes phrases de roman. »

Il bourra lentement sa pipe, l'alluma, et dit :

« Procédons par ordre. »

Quel ordre ? Combien d'autres avant lui nourrirent cette illusion de prendre en défaut une jolie fille de seize ans, tout armée ? Vingt fois vous l'aurez cru piper[1] au plus grossier mensonge, qu'elle ne vous aura pas même entendu, seulement attentive aux mille riens que nous dédaignons, au regard qui l'évite, à telle parole inachevée, à l'accent de votre voix — cette voix de mieux en mieux connue, possédée, — patiente à s'instruire, faussement docile, s'assimilant peu à peu l'expérience dont vous êtes si fier, moins par une lente industrie que par un instinct souverain, tout en éclairs et illuminations soudaines, plus habile à deviner qu'à comprendre, et jamais satisfaite qu'elle n'ait appris à nuire à son tour.

« Procédons par ordre : Que me reproches-tu ? T'ai-je jamais caché que dans ma vieille bicoque à poivrières[2] je n'étais pas moins gueux qu'un croquant[3] ? Pouvons-nous tenir le coup, oui ou non ? Qu'on ferme les yeux sur les embêtements futurs, rien de mieux, et, dans l'amourette, le chanteur n'est pas le dernier à se prendre à sa chanson. Mais promettre ce qu'on sait bien ne pouvoir tenir, c'est vraiment duperie de goujat[4]. Vois-tu la tête du curé et celle de son grand diable de vicaire si nous nous présentions dimanche à la messe, la main dans la main ? Mon moulin

1. *Piper :* au sens propre, attraper les oiseaux à la pipée, c'est-à-dire en imitant leur cri pour les attirer dans un piège. Employé ici au sens général de « prendre au piège » ; 2. *Poivrière :* petite tour ronde à toit conique construite en surplomb le long d'un château fort pour en surveiller les abords. *Bicoque* est pris dans son sens moderne et familier de « maison médiocre » ; 3. *Croquant :* péjoratif et familier pour *paysan.* Surnom donné au XVIe siècle aux paysans révoltés du Sud-Ouest ; 4. *Goujat :* mot languedocien signifiant « garçon ». A pris en français le sens de « valet d'armée », d'où « individu grossier et indélicat ».

de Brimeux vendu, les dettes payées, il me restera bien quinze cents louis[1], nom d'une pipe! Voilà du solide. Concluons : quinze cents louis, deux tiers pour moi, le dernier pour toi. C'est dit. Topons là*(**13**)!

— Oh! là, là! fit-elle en riant (mais les yeux pleins de larmes), quel sermon! »

Il rougit de désappointement, et fixa sur l'étrange fille à travers la fumée de sa pipe un regard où la colère pointait déjà. Mais elle le soutint bravement.

« Vous pouvez les garder, vos cinq cents louis; ils vous font plus besoin qu'à moi! »

Et certes, elle eût été bien embarrassée de justifier son singulier plaisir, et de donner un nom à tous les sentiments confus qui gonflaient son cœur intrépide. Mais à cet instant elle ne désira rien de plus que d'humilier son amant dans sa pauvreté, et le tenir à sa merci.

Avoir, une heure plus tôt, franchi la nuit d'un trait vers l'aventure, défié le jugement du monde entier, pour trouver au but, ô rage! un autre rustre, un autre papa lapin! Sa déception fut si forte, son mépris si prompt et si décisif qu'en vérité les événements qui vont suivre étaient déjà comme écrits en elle. Hasard, dit-on. Mais le hasard nous ressemble.

Qu'un niais s'étonne du brusque essor d'une volonté longtemps contenue, et qu'une dissimulation nécessaire, à peine consciente, a déjà marqué de cruauté, revanche ineffable du faible, éternelle surprise du fort et piège toujours tendu! Tel s'applique à suivre pas à pas, dans son capricieux détour, la passion, plus forte et plus insaisissable que l'éclair, qui se flatte d'être un observateur attentif, et ne connaît d'autrui, dans son miroir, que sa pauvre grimace solitaire! Les sentiments les plus simples naissent et croissent dans une nuit jamais pénétrée, s'y confondent ou s'y repoussent selon de secrètes affinités, pareils à des nuages électriques, et nous ne saisissons à la surface des ténèbres que les brèves lueurs de l'orage inaccessible. C'est pourquoi les meilleures hypothèses psychologiques permettent peut-être de reconstituer le passé, mais non point de prédire l'avenir. Et, pareilles à beaucoup d'autres, elles dissimulent seulement à nos yeux un mystère dont l'idée seule accable l'esprit*(**14**).

1. *Louis :* vingt francs (or).

Après un dernier effort, la brise essoufflée s'était tue. Les bosquets de lauriers qui faisaient à la vieille maison une triple ceinture s'étaient depuis longtemps rendormis qu'au fond du parc les puissants arbres au feuillage noir, les pins de soixante pieds, frémissaient encore de la cime, en grondant comme des ours. La lumière de la lampe brillait plus fort, tiède, familiale, au bout de la table de noyer, avec un grésillement monotone. Et si près de la nuit, vue dans les vitres d'un noir opaque, l'air tiède et un peu lourd semblait doux à respirer. [...]

« J'ai tort de me fâcher, dit-elle froidement. Cela devait être. Oui, j'aurais fini par mourir dans leur maison de briques et leur jardin de poupée... Mais vous, Cadignan (lui jetant son nom comme un défi), je vous aurais cru un autre homme. »

Elle se raidissait pour achever la phrase avant que sa voix ne se brisât. Si hardie et confiante qu'elle s'efforçât de paraître, elle ne voyait depuis un moment nulle autre issue que la trappe[1] du logis paternel, bientôt retombée, l'inévitable souricière qu'elle avait fuie deux heures plus tôt, dans un délire d'espérance. « Il m'a déçue, » songeait-elle. Mais en conscience, elle n'eût su dire comment ni pourquoi. Déjà la maîtresse et l'amant, encore face à face, ne se reconnaissent plus. Le bonhomme à son déclin croit faire assez en payant naïvement des félicités bourgeoises d'un dernier écu que la petite sauvage eût plus détesté que la misère et la honte... Qu'était-elle venue demander, à travers cette première libre nuit, à ce gaillard déjà bedonnant qui ne tenait que de sa race paysanne et militaire une énergie toute physique, et comme une espèce de grossière dignité ? Elle s'était échappée, voilà tout ; elle frémissait de se sentir libre. Elle avait couru à lui comme au vice, à l'illusion longtemps caressée de faire une fois le pas décisif, de se perdre pour tout de bon. [...]

Hélas ! comme un enfant, parti le matin pour découvrir un nouveau monde, fait le tour du potager, et se retrouve auprès du puits, ayant vu périr son premier rêve, ainsi n'avait-elle fait que ce petit pas inutile hors de la route commune. « Rien n'est changé, murmurait-elle, rien de nouveau... » Mais contre l'évidence, une voix intérieure,

1. *Trappe* : piège. Le sens du mot est précisé par la suite de la phrase.

mille fois plus nette et plus sûre, témoignait de l'écroulement du passé, d'un vaste horizon découvert, de quelque chose de délicieusement inattendu, d'une heure irréparablement sonnée. A travers son bruyant désespoir, elle sentait monter la grande joie silencieuse, pareille à un pressentiment.

Ils s'étaient tus tous les deux. Au milieu de la haute fenêtre sans rideaux la lune apparut tout à coup, à travers la vitre, nue, immobile, toute vivante et si proche qu'on eût voulu entendre le frémissement de sa lumière blonde.

Alors, par une plaisante rencontre, la même question posée quelques heures plus tôt par Malorthy se retrouva sur les lèvres de Cadignan :

« A toi de proposer, Mouchette. »

Mais, comme elle l'interrogeait d'un battement de ses paupières, sans parler :

« Demande hardiment, fit-il.

— Emmène-moi », dit-elle.

Elle ajouta, après l'avoir mesuré des yeux, pesé, évalué au plus juste, absolument comme une ménagère fait d'un poulet :

« A Paris... n'importe où !

— Ne parlons pas de ça encore, veux-tu ? Ni oui, ni non... Tes couches faites ; le moutard au monde... »

Déjà elle se dressait à demi, la bouche ouverte, avec un geste de surprise d'une vraisemblance parfaite, irrésistible :

« Tes couches ? Le moutard ?... »

Alors elle éclata de rire, les deux mains pressées sur sa gorge nue, le col renversé en arrière, s'enivrant de son défi sonore, jetant aux quatre coins de la vieille salle, comme un cri de guerre, la seule note de cristal.

Le visage de Cadignan s'empourpra. Toujours riant, elle dit, essoufflée :

« Mon père s'est moqué de vous... L'avez-vous cru ? »

L'audace du mensonge éloignait tout soupçon. L'invraisemblable se passe de preuves. Le marquis ne douta pas qu'elle eût dit vrai. D'ailleurs la colère l'étranglait.

« Tais-toi ! » s'écria-t-il en frappant du poing sur la table.

Mais elle riait encore à coups mesurés, prudemment, les paupières mi-closes, ses deux petits pieds rassemblés sous sa chaise, prête à s'échapper d'un bond.

« Tonnerre de nom d'un chien! Tonnerre! » répétait la pauvre dupe, secouant la banderille invisible.

Un moment son regard rencontra celui de sa maîtresse, et tout de même il flaira le piège.

« Nous verrons bien qui dit vrai, conclut-il, bourru. Si son benêt de père s'est moqué de moi, je lui casse les reins! Et maintenant, la paix! »

Mais elle ne désirait que le voir bien en face, l'épier sous ses longs cils, jouir de sa confusion, toute pâle de se sentir si dangereuse et si rusée, aussi forte qu'un homme.

Une minute, il tira nerveusement sa moustache, songeant : « L'histoire est singulière... lequel me trompe?... » D'ailleurs, jamais parole menteuse ne fut si aisément proférée, plus librement, sans y songer, pareille à un geste de défense, aussi spontanée qu'un cri.

« Grosse ou non, je ne me dédis pas, Mouchette, dit-il enfin... Sitôt la bicoque vendue, je trouverai bien un coin pour deux, une maison de garde-chasse, à mi-chemin de la rivière et du bois, où vivre tranquille. Et mille noms d'une pipe, le mariage est peut-être au bout... »

Le bonhomme s'attendrissait; elle répondit tranquillement :

« Allons-nous-en demain.

— Oh! la sotte, s'écria-t-il, vraiment ému. Tu parles de ça, ma parole! comme un dimanche soir d'un tour en ville... Tu es mineure, Mouchette, et la loi ne badine pas. »

Aux trois quarts sincère, mais de trop vieille race paysanne pour s'engager imprudemment, il attendait un cri de joie, une étreinte, des larmes, enfin la scène émouvante qui l'eût tiré d'embarras. Mais la rusée le laissait dire, dans un silence moqueur.

« Oh! fit-elle, je n'attendrai pas si longtemps une maison de garde-chasse... A mon âge! Une belle mine que je ferais entre votre rivière et votre bois?... Si personne ne veut plus de moi, je vais peut-être me gêner?

— Ça pourrait peut-être mal finir, riposta dédaigneusement le marquis.

— Je me moque bien de finir, s'écria-t-elle en battant des mains... Et d'ailleurs, j'ai mon idée... moi. »

Mais, Cadignan ayant seulement haussé les épaules, elle continua, piquée au vif :

« Un amant tout trouvé...

— Peut-on savoir ?

— Qui ne me refusera rien, celui-là, et riche...

— Et jeune ?

— Plus que vous... Allez ! toujours assez jeune pour devenir blanc comme la nappe, si je le touche seulement du pied sous la table, là !

— Voyez-vous...

— Un homme instruit, savant même...

— J'y suis !... député... »

[Il pense à Gallet, officier de santé et député. Et cette pensée provoque une telle colère chez Cadignan qu'il insulte Mouchette.]

Les dix petites griffes grinçaient sur la table, où elle appuyait ses mains. La rumeur des idées dans sa cervelle l'étourdissait ; mille mensonges, une infinité de mensonges y bourdonnaient comme une ruche. Les projets les plus divers, tous bizarres, aussitôt dissipés que formés, y déroulaient leur chaîne interminable, comme dans la succession d'un rêve. De l'activité de tous les sens jaillissait une confiance inexprimable, pareille à une effusion de la vie. Une minute, les limites même du temps et de l'espace parurent s'abaisser devant elle, et les aiguilles de l'horloge coururent aussi vite que sa jeune audace... N'ayant jamais connu d'autre contrainte qu'un puéril système d'habitudes et de préjugés, n'imaginant pas d'autre sanction que le jugement d'autrui, elle ne voyait pas de bornes au merveilleux rivage où elle abordait en naufragée. Si longtemps qu'on en ait goûté la délectation amère et douce, la mauvaise pensée n'est point capable d'émousser par avance l'affreuse joie du mal enfin saisi, possédé — d'une première révolte pareille à une seconde naissance*(**15**). Car le vice pousse au cœur une racine lente et profonde, mais la belle fleur pleine de venin n'a son grand éclat qu'un seul jour.

[Cadignan essaie alors, au prix d'une concession, de tirer la vérité de Mouchette.]

« Ne m'échauffe plus les oreilles, fillette. Tu l'as voulu ; je te garde ici jusqu'à demain, pour rien, pour le plaisir... C'est à mon risque. Et maintenant sois sage, et réponds-moi, si tu peux. Des blagues, tout ça ? »

Elle était elle-même aussi pâle que son petit col. Elle répondit : « Non! les dents jointes.

— Allons! reprit-il... veux-tu me faire croire?...

— Il est mon amant, là! »

Elle se délivrait de ce nouveau mensonge*(**16**), ainsi qu'on crache une liqueur âpre et brûlante. Et quand elle n'entendit plus l'écho de sa propre voix, elle sentit son cœur défaillir, comme à la descente de l'escarpolette. Pour un peu, son accent l'eût trompée elle-même et, tandis qu'elle jetait au marquis ce mot d'amant, elle croisa les deux bras sur ses seins, d'un geste à la fois naïf et pervers, comme si ces deux syllabes magiques l'eussent dépouillée, montrée nue.

« Nom de Dieu! » s'écria Cadignan.

Il s'était levé d'un bond, et si vite que le premier élan de la pauvrette, mal calculé, la porta presque dans ses bras. Ils se rencontrèrent au coin de la salle, et restèrent un moment face à face, sans rien dire.

Déjà elle échappait, sautait sur une chaise qui s'effondrait, puis de là sur la table; mais ses hauts talons glissèrent sur le noyer ciré; en vain elle étendit les mains. Celles du marquis l'avaient saisie à la taille, la tiraient vivement en arrière. La violence du choc l'étourdit; le gros homme l'emportait comme une proie. Elle se sentit jetée rudement sur le canapé de cuir. Puis une minute encore elle ne vit plus que deux yeux d'abord féroces, où peu à peu montait l'angoisse, puis la honte.

. . . .

De nouveau, elle était libre; debout, en pleine lumière, les cheveux dénoués, un pli de sa robe découvrant son bas noir, cherchant en vain du regard le maître détesté. Mais elle distinguait à peine un grand trou d'ombre et le reflet de la lampe sur le mur, aveuglée par une rage inouïe, souffrant dans son orgueil plus que dans un membre blessé, d'une souffrance physique, aiguë, intolérable... Lorsqu'elle l'aperçut enfin, le sang rentra comme à flots dans son cœur.

« Allons! Mouchette, allons! » disait le bonhomme inquiet.

Parlant toujours, il s'approchait à petits pas, les bras tendus, cherchant à la reprendre, sans violence, ainsi qu'il eût fait d'un de ses farouches oiseaux. Mais cette fois elle échappa.

« Qu'est-ce qui te prend, Mouchette ? » répétait Cadignan, d'une voix mal assurée.

Elle l'épiait de loin, sa jolie bouche déformée par un rictus sournois. « Rêve-t-elle ? » pensait-il encore... Car ayant cédé à un de ces emportements de colère, d'où naît soudain le désir, il se sentait moins de remords que de confusion, n'ayant jamais beaucoup plus épargné ses maîtresses qu'un loyal compagnon qui tient sa partie dans un jeu brutal. Il ne la reconnaissait plus.

« Répondras-tu ! » s'écria-t-il, exaspéré par son silence.

Mais elle reculait devant lui, à pas lents. Comme elle fuyait vers la porte, il essaya de lui barrer la route en poussant son fauteuil à travers l'étroit passage, mais elle évita l'obstacle d'un saut léger, avec un cri de frayeur si vive qu'il en demeura sur place, haletant. Une seconde plus tard, alors qu'il se retournait pour la suivre, il la vit dans un éclair, à l'autre extrémité de la salle, dressée sur la pointe de ses petits pieds, s'efforçant d'atteindre quelque chose au mur, de ses bras tendus.

« Hé là ! à bas les pattes ! enragée ! »

En deux bonds il l'eût sans doute rejointe et désarmée, mais une fausse honte le retint. Il s'approchait d'elle sans hâte et du pas d'un homme qu'on n'arrêtera pas aisément. Car il voyait son propre hammerless[1] — un magnifique Anson — entre les mains de sa maîtresse.

« Essaie voir ! » disait-il en avançant toujours et comme on menace un chien dangereux.

La folle Mouchette ne répondit que par une espèce de gémissement de terreur et de colère ; en même temps elle levait l'arme à bout de bras.

« Imbécile ! il est chargé ! » voulut-il dire encore... Mais le dernier mot fut comme écrasé sur ses lèvres par l'explosion. La charge l'avait atteint sous le menton, faisant voler la mâchoire en éclats. Le coup avait été tiré de si près que la bourre[2] de feutre suiffée traversa le cou de part en part, et fut retrouvée dans sa cravate*(**17**).

Mouchette ouvrit la fenêtre et disparut.

1. *Hammerless :* fusil de chasse à percussion centrale et sans chiens apparents (mot anglais signifiant « sans marteau ») ; 2. *Bourre :* rondelle de feutre tassé qui sert à maintenir la charge d'une cartouche.

IV

[Mouchette vient voir Gallet, dont elle a fait son amant après la mort du marquis. Elle lui annonce qu'elle est enceinte, dans l'espoir qu'il croira que c'est de lui.]

Depuis qu'une nuit, d'un geste irréparable, elle avait tué, en même temps que l'inoffensif marquis, sa propre image trompeuse*(**18**), la petite Malorthy, Mlle Malorthy, se débattait vainement contre son ambition déçue. Fuir, échapper, l'eût accusée trop clairement; elle avait dû reprendre sa place dans la maison, mendier le pardon paternel avec un front d'airain et, plus humble et plus silencieuse que jamais sous les regards de l'intolérable pitié, tramer autour d'elle le mensonge, fil à fil. « Demain, se disait-elle, le cœur dévoré, demain l'oubli sera fait, je serai libre. » Mais demain ne venait jamais. Lentement, les liens autrefois brisés resserraient autour d'elle leurs nœuds. Par une amère dérision, la cage était devenue un asile, et elle ne respirait plus que derrière les barreaux, jadis détestés. Le personnage qu'elle affectait d'être détruisait l'autre peu à peu, et les rêves qui l'avaient portée tombaient un par un, rongés par le ver invisible : l'ennui. L'obscure petite ville qu'elle avait bravée l'avait reprise, se refermait sur elle, la digérait.

Jamais chute fut moins prompte, ni plus irrévocable. Et repassant dans sa mémoire chaque incident de la nuit criminelle, Mouchette n'y voyait rien qui justifiât le souvenir qu'elle en avait gardé comme d'un effort immense, tout à coup délié, d'un trésor anéanti. Ce qu'elle avait voulu, la proie visée, manquée du premier bond, disparue à jamais, elle ne savait plus quel nom lui donner. L'avait-elle d'ailleurs jamais nommée? Ah! ce n'était pas ce gros bonhomme étendu... Mais quelle proie?

Que d'autres filles rampent et meurent sous les tilleuls, dont la vie n'a duré qu'une heure ou cent ans! La vie un moment ouverte, déployée de toute l'envergure, le vent de l'espace frappant en plein..., puis repliée, retombant à pic comme une pierre.

Mais celles-là n'ont point commis le meurtre, ou peut-être en rêve. Elles n'ont aucun secret. Elles peuvent dire : « Que j'étais folle! » en lissant leurs bandeaux gris sous le bonnet à ruches[1]. Elles ignoreront toujours qu'étirant leurs jeunes griffes, un soir d'orage, elles auraient pu tuer en jouant*(**19**).

Après son crime, l'amour de Gallet était pour Germaine un autre secret, un autre silencieux défi. Elle s'était d'abord jetée au bras du goujat[2] sans âme et se cramponnait à cette autre épave. Mais l'enfant révoltée, d'une ruse très sûre, eut vite fait d'ouvrir ce cœur, comme un abcès. Autant par délectation du mal, certes, que par un jeu dangereux, elle avait fait d'un ridicule fantoche une bête venimeuse, connue d'elle seule, couvée par elle, pareille à ces chimères qui hantent le vice adolescent, et qu'elle finissait par chérir comme l'image même et le symbole de son propre avilissement.

[Mouchette est en proie à une nervosité maladive qui se traduit par un flot de paroles.]

« Vraiment ? tu n'as jamais senti... comment dire ? Cela vous vient comme une idée... comme un vertige... de se laisser tomber, glisser... d'aller jusqu'en bas, — tout à fait, — jusqu'au fond, — où le mépris des imbéciles n'irait même pas vous chercher... Et puis, mon vieux*(**20**), là encore, rien ne vous contente... quelque chose vous manque encore... Ah ! jadis... que j'avais peur ! — d'une parole... d'un regard... de rien. Tiens ! cette vieille dame Sangnier... (mais si ! tu la connais : c'est la voisine de M. Rageot) ...m'a-t-elle fait du mal, un jour ! — un jour que je passais sur le pont de Planques — en écartant de moi, bien vite, sa petite nièce Laure... Hé quoi ! suis-je donc la peste, je me disais... Ah ! maintenant ! Maintenant... maintenant... maintenant, son mépris : je voudrais aller au-devant ! Quel sang ont-elles dans les veines ces femmes qu'un regard fait hésiter — oui — dont un regard empoisonnerait le plaisir, et qui se donnent l'illusion d'être d'honnêtes nitouches[3] jusque dans les bras de leur amant... On a honte ? Bien sûr, si tu veux, on a honte ! Mais, entre nous, depuis le premier jour, est-ce qu'on cherche autre chose ? Cela qui vous attire et vous repousse... Cela qu'on redoute et qu'on fuit sans hâte — qu'on retrouve chaque fois avec la même crispation du cœur — qui devient

1. C'est-à-dire garni de bandes d'étoffe plissée : coiffure de vieille femme ; **2.** Voir p. 33 note 4 ; **3.** On appelle plaisamment « sainte nitouche » une femme hypocrite, qui se donne l'air de « n'y toucher pas ».

comme l'air qu'on boit — notre élément — la honte! C'est vrai que le plaisir doit être recherché pour lui-même... lui seul! Qu'importe l'amant! Qu'importe le lieu ou l'heure! Quelquefois... quelquefois... la nuit... A deux pas de ce gros homme qui ronfle, seule... seule dans ma petite chambre la nuit... Moi que tous accusent! (m'accuser de quoi, je te demande?) Je me lève... j'écoute... je me sens si forte! — Avec ce corps de rien du tout, ce pauvre petit ventre si plat, ces seins qui tiennent dans le creux des mains, j'approche de la fenêtre ouverte, comme si on m'appelait du dehors; j'attends... je suis prête... Pas une voix seulement m'appelle, tu sais! Mais des cent! des mille! Sont-ce là des hommes? Après tout, vous n'êtes que des gosses — pleins de vices, par exemple! — mais des gosses! Je te jure! Il me semble que ce qui m'appelle — ici ou là, n'importe!... dans la rumeur qui roule... un autre... Un autre se plaît et s'admire en moi... Homme ou bête... Hein, je suis folle?... Que je suis folle!... Homme ou bête qui me tient... Bien tenue... Mon abominable amant! »

Son rire à pleine gorge se brisa tout à coup et, le regard qu'elle tenait fixé sur les yeux de son compagnon se vidant de toute lumière, elle resta debout par miracle, semblable à une morte. Puis elle plia les genoux.

« Mouchette, dit gravement l'homme de l'art*(**21**), qui s'était levé, une dernière fois, ton hyperémotivité[1] m'effraie. Je te conseille le calme. »

Il aurait pu poursuivre longtemps sur le même ton, car Mouchette ne l'entendait plus. D'un mouvement presque insensible, son buste s'était incliné en avant, ses épaules avaient roulé sur le divan et, lorsqu'il prit la petite tête entre ses deux mains, il vit d'abord un pâle visage de pierre.

« Sapristi! » fit-il.

En vain il tenta de desserrer les mâchoires, faisant grincer sur les dents jointes une spatule[2] d'ivoire. La lèvre retroussée saigna.

Il alla vers sa pharmacie, ouvrit la porte, tâtonna parmi les flacons, choisit, flaira, cependant l'oreille attentive et le regard inquiet, gêné par cette présence silencieuse, derrière

1. *Hyperémotivité :* émotivité excessive. Mot de psychologue et de médecin.
2. *Spatule :* sorte de cuiller de bois, de métal ou, comme ici, d'ivoire qui sert à examiner la gorge.

lui, attendant sans se l'avouer un cri, un soupir, un signe dans le reflet des vitres, on ne sait quoi qui romprait le charme... Enfin il se retourna.

La tête droite à présent, sagement assise sur le tapis, Mouchette le regardait venir, avec un sourire triste. Il ne lisait rien, dans ce sourire, qu'une inexplicable pitié, dispensée de si haut, d'une suavité surhumaine. La lumière de la lampe tombant à plein sur le front blanc, le bas du visage dans l'ombre, ce sourire, à peine deviné, demeurait étrangement immobile et secret. Et d'abord il crut qu'elle dormait. Mais elle dit, tout à coup, de sa voix tranquille :

« Qu'est-ce que tu fais, tout droit, avec cette bouteille dans la main ? Pose-la ! Non, pose-la, je t'en prie ! Écoute-moi : j'ai été malade ? Évanouie ? Non ! C'est vrai ? Vois-tu, quand même, si j'étais morte, là, chez toi !... Ne me touche pas ! Ne me touche pas surtout ! »

Il s'assit drôlement au bord d'une chaise, son flacon tenu toujours entre ses fortes mains. Cependant son visage reprenait peu à peu son expression habituelle d'entêtement sournois, parfois féroce. Il finit par hausser les épaules.

« Tu peux te moquer, reprit-elle de sa voix toujours calme : c'est comme ça. Quand je me suis emballée... emballée... emballée..., j'ai horriblement peur qu'on me touche..., il me semble que je suis en verre. Oui, c'est bien ça... une grande coupe vide.

— Hyperesthésie[1], c'est normal après un choc nerveux.

— Hyper... quoi ? Quel drôle de mot ! Ainsi tu connais ça ? Tu as soigné des femmes comme moi ?

— Des centaines, répondit-il avec fierté, des centaines... Au lycée de Montreuil j'ai vu des cas autrement graves. Ces crises ne sont pas rares chez des jeunes filles qui vivent en commun. De bons observateurs vont même jusqu'à soutenir...

— Ainsi, fit-elle, tu penses avoir connu des femmes comme moi ? »

Elle se tut. Puis tout à coup :

« Hé bien ! tu mens ! tu as menti ! »

Elle se pencha vers lui, prit ses deux mains, inclina doucement la joue... et dans la même seconde il sentit à son poignet, et jusqu'à son cœur, la morsure aiguë des dents*(**22**).

1. *Hyperesthésie* : sensibilité excessive; vocabulaire médical.

[Mouchette n'arrive pas à faire croire à Gallet qu'elle soit enceinte de lui. Comme elle suggère un avortement, le médecin se récuse en invoquant la conscience professionnelle. Mouchette va sortir avec la secrète intention d'aller se tuer. Effrayé par son expression, il la retient juste à temps.

Cependant, on entend des pas dans la maison. C'est la femme du médecin, rentrée de voyage à l'improviste. Mouchette, devant la peur ridicule de son amant, retrouve de l'aplomb. Dans sa surexcitation, elle lui fait la confidence de son crime. Gallet, malgré l'absence de preuve, ne doute pas un instant de la véracité de Mouchette, mais il feint prudemment de ne pas y ajouter foi.]

« Je ne crois pas un mot de cette histoire-là.

— Ne le répète pas deux fois », dit-elle entre ses dents.

Il agitait la main en souriant, comme pour l'apaiser.

« Écoute, Philogone[1], reprit-elle d'une voix suppliante (et l'expression de son visage changeait plus vite que la voix). J'ai menti tout à l'heure; je faisais la brave. C'est vrai que je ne veux plus vivre, ni respirer, ni voir seulement le jour à travers cet affreux mensonge. Voyons! J'ai tout dit maintenant! Jure-moi que j'ai tout dit?

— Tu as fait un vilain rêve, Mouchette. »

Elle supplia de nouveau :

« Tu me rendras folle. Si je doute de cela aussi, que croirai-je? Mais qu'est-ce que je dis, reprit-elle, d'une voix cette fois perçante. Depuis quand refuse-t-on de croire la parole d'un assassin qui s'accuse, et qui se repent? Car je me repens!... Oui... oui... Je te ferai ce tour de me repentir, moi qui te parle. Et, si tu m'en défies, j'irai leur raconter à tous mon rêve, ce fameux rêve! Ton rêve*(**23**)! »

Elle éclata de rire. Gallet reconnut ce rire, et blêmit.

« J'ai été trop loin, bégaya-t-il. C'est bon, Mouchette, c'est bon, n'en parlons plus. »

Elle consentit à baisser le ton :

« Je t'ai fait peur, dit-elle.

— Un peu, fit-il. Tu es en ce moment si nerveuse, si impulsive... Laissons cela. J'ai mon opinion faite, à présent. »

Elle tressaillit.

« En tout cas, tu n'as rien à craindre. Je n'ai rien vu, rien entendu. D'ailleurs, ajouta-t-il imprudemment, moi, ni personne...

1. *Philogone* (en grec : « qui aime ses enfants »). C'est le prénom extraordinaire et ridicule que Bernanos s'amuse à donner au médecin républicain.

— Cela signifie ?
— Que vraie ou fausse, ton histoire ressemble à un rêve...
— C'est-à-dire ?
— Qui t'a vue sortir. Qui t'a vue rentrer ? Quelle preuve a-t-on ? Pas un témoin, pas une pièce à conviction, pas un mot écrit, pas même une tache de sang... Suppose que je m'accuse moi-même. Nous serions manche à manche, ma petite. Pas de preuves ! »

Alors... Alors il vit Mouchette se dresser devant lui, non pas livide, mais au contraire le front, les joues et le cou même d'un incarnat si vif que, sous la peau mince des tempes, les veines se dessinèrent, toutes bleues. Les petits poings fermés le menaçaient encore, quand le regard de la misérable enfant n'exprimait déjà plus qu'un affreux désespoir, comme un suprême appel à la pitié. Puis cette dernière lueur s'éteignit, et le seul délire vacilla dans ses yeux. Elle ouvrit la bouche et cria.

Sur une seule note, tantôt grave et tantôt aiguë, cette plainte surhumaine retentit dans la petite maison, déjà pleine d'une rumeur vague et de pas précipités. D'un premier mouvement le médecin de Campagne avait rejeté loin de lui le frêle corps roidi, et il essayait à présent de fermer cette bouche, d'étouffer ce cri. Il luttait contre ce cri, comme l'assassin lutte avec un cœur vivant, qui bat sous lui. Si ses longues mains eussent rencontré par hasard le cou vibrant, Germaine était morte, car chaque geste du lâche affolé avait l'air d'un meurtre. Mais il n'étreignait en gémissant que la petite mâchoire et nulle force humaine n'en eût desserré les muscles... Zéléda et Timoléon[1] entrèrent en même temps.

« Aidez-moi ! supplia-t-il... Mlle Malorthy..., une crise de démence furieuse..., en pleine crise... Aidez-moi, nom de Dieu !... »

Timoléon prit les bras de Mouchette et les maintint en croix sur le tapis. Après une courte hésitation, Mme Gallet saisit les jambes. Le médecin de Campagne, les mains enfin libres, jeta sur le visage de la folle un mouchoir imbibé d'éther. L'affreuse plainte, d'abord assourdie, finit par s'éteindre tout à fait. L'enfant, vaincue, s'abandonna.

« Cours chercher un drap », dit Gallet à sa femme.

1. La femme et le domestique du médecin, que Bernanos accable également de prénoms risibles (v. p. 45, note 1).

On y roula Mlle Malorthy, désormais inerte. Timoléon courut prévenir le brasseur. Le soir même, elle était transportée en automobile à la maison de santé du docteur Duchemin. Elle en sortit un mois plus tard, complètement guérie, après avoir accouché d'un enfant mort*(**24**).

PREMIÈRE PARTIE

LA TENTATION DU DÉSESPOIR

I

[Le soir de Noël, l'abbé Menou-Segrais, curé du bourg de Campagne, reçoit son vieil ami l'abbé Demange, auquel il veut demander conseil à propos de son nouveau vicaire. Personnalité forte et indépendante que ce Menou-Segrais, suspecte à une hiérarchie tatillonne; le vieux prêtre a quelque chose de l'ancienne aristocratie, aimant le confort matériel et les raffinements de l'esprit, ayant le goût de l'autorité, mais aussi le sens de la plus haute spiritualité. Il est exaspéré par la maladresse rustique du nouveau vicaire, l'abbé Donissan. Le long entretien des deux prêtres tire à sa fin; c'est l'abbé Demange qui parle :]

« En attendant, devriez-vous me battre, je résumerai, pour le repos de ma conscience, notre entretien; j'en chercherai la conclusion. Laissez-moi dire! Laissez-moi dire! s'écria-t-il sur un geste d'impatience du curé de Campagne, je ne vous tiendrai pas longtemps. J'en étais aux éléments du dossier. J'y retourne. Sans doute, je n'attache pas beaucoup d'importance aux notes du séminaire...

— A quoi bon y revenir? dit l'abbé Menou-Segrais. Elles sont médiocres, franchement médiocres, mais Dieu sait dans quel sens, et si c'est la médiocrité de l'élève qu'elles prouvent, ou du maître!... Voici néanmoins le passage d'une lettre de Mgr Papouin, que je ne vous ai point lue... Ayez seulement l'obligeance de me donner mon portefeuille — là, au coin de mon bureau — et d'approcher un peu la lampe. »

Il parcourut d'abord la feuille du regard, en souriant, la tenant tout près de ses yeux myopes.

« *Je n'ose vous proposer*, commença-t-il, *je n'ose vous proposer le seul qui me reste, ordonné depuis peu, dont M. l'archiprêtre*[1], *à qui je l'ai donné, ne sait que faire, plein de qualités sans doute, mais gâtées par une violence et un entêtement*

1. *Archiprêtre :* prêtre d'une église épiscopale, qui peut agir en remplacement de l'évêque.

singuliers, sans éducation ni manières, d'une grande piété plus zélée que sage, pour tout dire encore assez mal dégrossi. Je crains qu'un homme tel que vous (— ici un petit trait d'usage, d'ironie épiscopale)... *je crains qu'un homme tel que vous ne puisse s'accommoder d'un petit sauvage qui, vingt fois le jour, vous offensera malgré lui.* »

« Qu'avez-vous répondu ? demanda l'abbé Demange.

— A peu près ceci : s'accommoder n'est rien, Monseigneur; il suffit que j'en puisse tirer parti, ou quelque chose d'approchant. »

Il parlait sur le ton d'une déférence malicieuse, et son beau regard riait, avec une tranquille audace.

« Enfin, dit le vieux prêtre impatient, de votre propre aveu, le bonhomme répond au signalement qu'on vous en avait donné ?

— Il est pire, s'écria le doyen[1] de Campagne, mille fois pire ! D'ailleurs, vous l'avez vu. Sa présence dans une maison si confortable est une offense au bon sens, certainement. Je vous fais juge : les pluies d'automne, le vent d'équinoxe qui réveille mes rhumatismes, le poêle surchauffé qui sent le suif bouilli, les semelles crottées des visiteurs sur mes tapis, les feux de salve des battues d'arrière-saison, c'est déjà bien assez pour un vieux chanoine. A mon âge, on attend le bon Dieu en espérant qu'il entrera sans rien déranger, un jour de semaine... Hélas ! ce n'est pas le bon Dieu qui est entré, mais un grand garçon aux larges épaules, d'une bonne volonté ingénue à faire grincer des dents, plus assommant encore d'être discret, de dérober ses mains rouges, d'appuyer prudemment ses talons ferrés, d'adoucir une voix faite pour les chevaux et les bœufs... Mon petit setter[2] le flaire avec dégoût, ma gouvernante est lasse de détacher ou de ravauder celle de ses deux soutanes qui garde un aspect décent... D'éducation, pas l'ombre. De science, guère plus qu'il n'en faut pour lire passablement le bréviaire. Sans doute, il dit sa messe avec une piété louable, mais si lentement, avec une application si gauche, que j'en sue dans ma stalle, où il fait pourtant diablement froid ! Au seul penser d'affronter en chaire un public aussi raffiné que le nôtre, il a paru si malheureux que je n'ose le contraindre,

1. *Doyen :* nom donné traditionnellement au curé d'une paroisse, dans certaines provinces; 2. *Setter :* mot anglais désignant un chien d'arrêt à poil long et souple.

et continue de mettre à la torture ma pauvre gorge. Que vous dire encore ? On le voit courir dans les chemins boueux tout le jour, fait comme un chemineau, prêter la main aux charretiers, dans l'illusion d'enseigner à ces messieurs un langage moins offensant pour la majesté divine, et son odeur, rapportée des étables, incommode les dévotes. Enfin, je n'ai pu lui apprendre encore à perdre avec bonne grâce une partie de trictrac[1]. A neuf heures, il est déjà ivre de sommeil, et je dois me priver de ce divertissement... Vous en faut-il encore ? Est-ce assez*(**25**) ?

— Si c'est là les grandes lignes de vos rapports à l'évêché, conclut simplement l'abbé Demange, je le plains. »

Le sourire du doyen de Campagne s'effaça aussitôt et son visage — toujours d'une extrême mobilité — se glaça.

« C'est moi qu'il faut plaindre, mon ami... », dit-il.

Sa voix eut un tel accent d'amertume, d'espérance inassouvie qu'elle exprima d'un coup toute la vieillesse, et la grande salle silencieuse fut un moment visitée par la majesté de la mort.

[Et pourtant, sous cette enveloppe ingrate, Menou-Segrais a pressenti une âme exceptionnelle, appelée à Dieu. Quoi qu'il en coûte à sa tranquillité, et malgré les réticences de l'abbé Demange, il acceptera d'être l'éveilleur de cette âme. Il vient de faire appeler son vicaire, occupé à aider des couvreurs au clocher, afin qu'il dise adieu à Demange. Celui-ci, cependant, expose à Menou-Segrais sa conception de la sainteté :]

« Je crois que le chrétien de bonne volonté se maintient de lui-même dans la lumière d'en haut, comme un homme dont le volume et le poids sont dans une proportion si constante et si adroitement calculée qu'il surnage dans l'eau s'il veut bien seulement y demeurer en repos. Ainsi — n'étaient certaines destinées singulières — j'imagine nos saints ainsi que des géants puissants et doux dont la force surnaturelle se développe avec harmonie, dans une mesure et selon un rythme que notre ignorance ne saurait percevoir, car elle n'est sensible qu'à la hauteur de l'obstacle, et ne juge point de l'ampleur et de la portée de l'élan. Le fardeau que nous soulevons avec peine, en grinçant et grimaçant,

1. *Trictrac :* jeu de société qui se joue avec des dames et des dés, sur un plateau divisé en deux compartiments.

l'athlète le tire à lui, comme une plume, sans que tressaille un muscle de sa face, et il apparaît à tous frais et souriant... Je sais que vous m'opposerez sans doute l'exemple de votre protégé*(**26**)... »

« Me voici, monsieur le chanoine, » dit derrière eux une voix basse et forte.

Ils se retournèrent en même temps. Celui qui fut depuis le curé de Lumbres[1] était là debout, dans un silence solennel. Au seuil du vestibule obscur, sa silhouette, prolongée par son ombre, parut d'abord immense, puis, brusquement, — la porte lumineuse refermée, — petite, presque chétive. Ses gros souliers ferrés, essuyés en hâte, étaient encore blancs de mortier, ses bas et sa soutane criblés d'éclaboussures et ses larges mains, passées à demi dans sa ceinture, avaient aussi la couleur de la terre. Le visage, dont la pâleur contrastait avec la rougeur hâlée du cou, ruisselait de sueur et d'eau tout ensemble, car, au soudain appel de M. Menou-Segrais, il avait couru se laver dans sa chambre. Le désordre, ou plutôt l'aspect presque sordide de ses vêtements journaliers, était rendu plus remarquable encore par la singulière opposition d'une douillette[2] neuve, raide d'apprêt, qu'il avait glissée avec tant d'émotion qu'une des manches se retroussait risiblement sur un poignet noueux comme un cep. Soit que le silence prolongé du chanoine et de son hôte achevât de le déconcerter, soit qu'il eût entendu — à ce que pensa plus tard le doyen de Campagne — les derniers mots prononcés par M. Demange, son regard, naturellement appuyé ou même anxieux, prit soudain une telle expression de tristesse, d'humilité si déchirante, que le visage grossier en parut, tout à coup, resplendir*(**27**).

II

[Cette même nuit, après le départ de l'abbé Demange, le vicaire vient retrouver son curé pour une explication devenue inévitable.]

1. *Lumbres :* chef-lieu de canton du Pas-de-Calais, à 12 km de Saint-Omer. C'est la future paroisse de l'abbé Donissan, où on le verra mourir dans la deuxième partie du roman; **2.** *Douillette :* manteau long que portent les ecclésiastiques.

Une main frappa deux coups. L'abbé Donissan parut.

« Je vous attendais, mon ami, dit simplement l'abbé Menou-Segrais.

— Je le savais », répondit l'autre d'une voix humble.

Mais il se redressa aussitôt, soutint le regard du doyen et dit fermement, tout d'un trait :

« Je dois solliciter de Monseigneur mon rappel à Tourcoing. Je voudrais vous supplier d'appuyer ma demande, sans rien cacher de ce que vous savez de moi, sans m'épargner en rien.

— Un moment... un moment..., interrompit l'abbé Menou-Segrais. *Je dois* solliciter, dites-vous ? Je dois... pourquoi *devez-vous ?*

— Le ministère paroissial, reprit l'abbé du même ton, est une charge au-dessus de mes forces. C'était l'avis de mon supérieur ; je sens bien aussi que c'est le vôtre. Ici même, je suis un obstacle au bien. Le dernier paysan du canton rougirait d'un curé tel que moi, sans expérience, sans lumières, sans véritable dignité. Quelque effort que je fasse, comment puis-je espérer suppléer jamais à ce qui me manque ?

— Laissons cela, interrompit le doyen de Campagne, laissons cela ; je vous entends. Vos scrupules sont sans doute justifiés. Je suis prêt à demander votre rappel à Monseigneur, mais l'affaire n'en est pas moins délicate. On vous demandait ici, en somme, peu de chose. C'est trop encore, dites-vous ? »

L'abbé Donissan baissa la tête.

« Ne faites pas l'enfant ! s'écria le doyen. Je vais sans doute vous paraître dur ; je dois l'être. Le diocèse est trop pauvre, mon ami, pour nourrir une bouche inutile.

— Je l'avoue, balbutia le pauvre prêtre avec effort... En vérité, je ne sais encore... Enfin j'avais fait le projet... de trouver... de trouver dans un couvent une place, au moins provisoire...

— Un couvent !... Vos pareils, monsieur, n'ont que ce mot à la bouche. Le clergé régulier[1] est l'honneur de l'Église, monsieur, sa réserve. Un couvent ! Ce n'est pas un lieu de repos, un asile, une infirmerie !

— Il est vrai... », voulut dire l'abbé Donissan, mais il ne

1. Les moines, qui sont soumis à une *règle* collective, par opposition au clergé séculier, les prêtres libres ou desservants de paroisse, qui vivent dans le *siècle*, c'est-à-dire le monde des laïcs.

fit entendre qu'un bredouillement confus. Les joues écarlates, que l'extrême émotion n'arrivait pas à pâlir, tremblaient. C'était le seul signe extérieur d'une inquiétude infinie. Et même sa voix se raffermit pour ajouter :

« Alors, que veut-on que je fasse ?

— Que veut-on ? répondit le doyen de Campagne, voici le premier mot de bon sens que vous ayez prononcé. Vous avouant incapable de guider et de conseiller autrui, comment seriez-vous bon juge dans votre propre cause ? Dieu et votre évêque, mon enfant, vous ont donné un maître : c'est moi.

— Je le reconnais, dit l'abbé, après une imperceptible hésitation... Je vous supplie cependant... »

Il n'acheva pas. D'un geste impérieux, le doyen de Campagne lui imposait déjà silence. Et il regardait avec une curiosité pleine d'effroi ce vieux prêtre, à l'ordinaire si courtois, tout à coup roidi, imperturbable, le regard si dur. [...]

L'abbé Menou-Segrais se leva si vivement de son fauteuil que le pauvre prêtre, cette fois, pâlit. Mais le vieux doyen fit quelques pas vers la fenêtre, appuyé sur sa canne, l'air absorbé. Puis, se redressant tout à coup :

« Mon enfant, dit-il, votre soumission me touche... J'ai dû vous paraître brutal, je vais l'être de nouveau. Il ne m'en coûterait pas beaucoup de tourner ceci de cent manières : j'aime mieux encore parler net. Vous venez de vous remettre entre mes mains... Dans quelles mains ? Le savez-vous ?

— Je vous en prie... murmura l'abbé, d'une voix tremblante.

— Je vais vous l'apprendre : vous venez de vous mettre entre les mains *d'un homme que vous n'estimez pas.* »

Le visage de l'abbé Donissan était d'une pâleur livide.

« *Que vous n'estimez pas*, répéta l'abbé Menou-Segrais. La vie que je mène ici est en apparence celle d'un laïque bien renté. Avouez-le ! Ma demi-oisiveté vous fait honte. L'expérience dont tant de sots me louent est à vos yeux sans profit pour les âmes, stérile. J'en pourrais dire plus long, cela suffit. Mon enfant, dans un cas si grave, les petits ménagements de politesse mondaine ne sont rien : ai-je bien exprimé votre sentiment ? »

Aux premiers mots de cette étrange confession, l'abbé Donissan avait osé lever sur le terrible vieux prêtre un regard plein de stupeur. Il ne le baissa plus.

« J'exige une réponse, continua l'abbé Menou-Segrais, je l'attends de votre obéissance, avant de me prononcer sur rien. Vous avez le droit de me récuser. Je puis être votre juge en cette affaire : je ne serai point votre tentateur. A la question que j'ai posée, répondez simplement par oui ou par non*(28).

— Je dois répondre oui, répliqua tout à coup l'abbé Donissan, d'un air calme... L'épreuve que vous m'imposez est bien dure : je vous prie de ne pas la prolonger. »

[Brisé par l'émotion, Donissan s'évanouit. Menou-Segrais, déboutonnant sa soutane pour lui porter secours, découvre une chemise imprégnée de sang.]

« Je m'en doutais », fit-il avec un douloureux sourire.

Des aisselles à la naissance des reins, le torse était pris tout entier dans une gaine rigide du crin le plus dur, grossièrement tissé. La mince lanière qui maintenait par devant l'affreux justaucorps[1] était si étroitement serrée que l'abbé Menou-Segrais ne la dénoua pas sans peine. La peau apparut alors, brûlée par l'intolérable frottement du cilice comme par l'application d'un caustique; l'épiderme détruit par places, soulevé ailleurs en ampoules de la largeur d'une main, ne faisait plus qu'une seule plaie, d'où suintait une eau mêlée de sang. L'ignoble bourre[2] grise et brune en était comme imprégnée. Mais d'une blessure au pli du flanc, plus profonde, un sang vermeil coulait goutte à goutte. Le malheureux avait cru bien faire en la comprimant de son mieux d'un tampon de chanvre : l'obstacle écarté, l'abbé Menou-Segrais retira vivement ses doigts rougis.

Le vicaire ouvrit les yeux. Un moment son regard attentif épia chaque angle de cette chambre inconnue, puis, se reportant sur le visage familier du doyen, exprima d'abord une surprise grandissante. Tout à coup, ce regard tomba sur la large échancrure de la soutane et les linges ensanglantés. Alors, l'abbé Donissan, se rejetant vivement en arrière, cacha sa figure dans ses mains.

Déjà celles de l'abbé Menou-Segrais les écartait douce-

1. *Justaucorps :* manteau serré à la taille et descendant jusqu'aux genoux, surtout en usage au XVIIe siècle; **2.** *Bourre :* primitivement, amas de poils d'animaux. Ici la « haire » de crin que Donissan porte par pénitence.

ment, découvrant la rude tête, d'un geste presque maternel.

« Mon petit, Notre-Seigneur n'est pas mécontent de vous, » fit-il à voix basse, avec un indéfinissable accent.

Mais reprenant aussitôt ce ton habituel de bienveillance un peu hautaine dont il aimait à déguiser sa tendresse :

« Vous jetterez demain au feu cette infernale machine, l'abbé : il faut trouver quelque chose de mieux. Dieu me garde de parler seulement le langage du bon sens : en bien comme en mal il convient d'être un peu fou. Je fais ce reproche à vos mortifications d'être indiscrètes : un jeune prêtre irréprochable doit avoir du linge blanc.

« ... Levez-vous, dit encore l'étrange vieil homme, et approchez-vous un peu. Notre conversation n'est pas finie, mais le plus difficile est fait... Allons! Allons! asseyez-vous là. Je ne vous lâche pas. »

Il l'installait dans son propre fauteuil et, comme par mégarde, parlant toujours, glissait un oreiller sous la tête douloureuse. Puis, s'asseyant sur une chaise basse, et ramenant frileusement autour de lui sa couverture de laine, il se recueillait une minute, le regard fixé sur le foyer, dont on voyait danser la flamme dans ses yeux clairs et hardis.

« Mon enfant, dit-il enfin, l'opinion que vous avez de moi est assez juste dans l'ensemble, mais fausse en un seul point. Je me juge, hélas! avec plus de sévérité que vous ne pensez. J'arrive au port les mains vides... »

Il tisonnait les bûches flamboyantes avec calme.

« Vous êtes un homme bien différent de moi, reprit-il, vous m'avez retourné comme un gant. En vous demandant à Monseigneur[1], j'avais fait ce rêve un peu niais d'introduire chez moi... hé bien! oui... un jeune prêtre mal noté, dépourvu de ces qualités naturelles pour lesquelles j'ai tant de faiblesse, et que j'aurais formé de mon mieux au ministère paroissial... A la fin de ma vie, c'était une lourde charge que j'assumais là, Seigneur! Mais j'étais aussi trop heureux dans ma solitude pour y achever de mourir en paix. Le jugement de Dieu, mon petit, doit nous surprendre en plein travail... Le jugement de Dieu!...

« ... Mais c'est vous qui me formez », dit-il après un long silence.

A cette étonnante parole, l'abbé Donissan ne détourna

1. L'évêque.

même pas la tête. Ses yeux grands ouverts n'exprimaient aucune surprise; et le doyen de Campagne vit seulement au mouvement de ses lèvres qu'il priait.

« *Ils* n'ont pas su reconnaître le plus précieux des dons de l'Esprit, dit-il encore. *Ils* ne reconnaissent jamais rien. C'est Dieu qui nous nomme. Le nom que nous portons n'est qu'un nom d'emprunt... Mon enfant, l'esprit de force est en vous. »

Les trois premiers coups de l'Angelus de l'aube tintèrent au-dehors comme un avertissement solennel, mais ils ne l'entendirent pas. Les bûches croulaient doucement dans les cendres.

« Et maintenant, continua l'abbé Menou-Segrais, et maintenant j'ai besoin de vous. Non! un autre que moi, à supposer qu'il eût vu si clair, n'eût pas osé vous parler comme je fais ce soir. Il le faut cependant. Nous sommes à cette heure de la vie (elle sonne pour chacun) où la vérité s'impose par elle-même d'une évidence irrésistible, où chacun de nous n'a qu'à étendre les bras pour monter d'un trait à la surface des ténèbres et jusqu'au soleil de Dieu. Alors, la prudence humaine n'est que pièges et folies. La Sainteté! s'écria le vieux prêtre d'une voix profonde, en prononçant ce mot devant vous, pour vous seul, je sais le mal que je vous fais! Vous n'ignorez pas ce qu'elle est : une vocation, un appel. Là où Dieu vous attend, il vous faudra monter, monter ou vous perdre. N'attendez aucun secours humain. Dans la pleine conscience de la responsabilité que j'assume, après avoir éprouvé une dernière fois votre obéissance et votre simplicité, j'ai cru bien faire en vous parlant ainsi. En doutant, non pas seulement de vos forces, mais des desseins de Dieu sur vous, vous vous engagiez dans une impasse : à mes risques et périls, je vous remets dans votre route; je vous donne à ceux qui vous attendent, aux âmes dont vous serez la proie... Que le Seigneur vous bénisse, mon petit enfant! »

A ces derniers mots, comme un soldat qui se sent touché, et se dresse d'instinct avant de retomber, l'abbé Donissan se mit debout. Dans son visage immobile, à la bouche close, aux fortes mâchoires, au front têtu, ses yeux pâles témoignaient d'une hésitation mortelle. Un long moment, son regard erra sans se poser. Puis ce regard rencontra la croix pendue au mur et, se reportant aussitôt sur l'abbé Menou-

Segrais, en se fixant, parut s'éteindre tout à coup. Le doyen n'y lut plus qu'une soumission aveugle que le tragique désordre de cette âme, encore soulevée de terreur, rendait sublime.

« Je vous demande la permission de me retirer, dit simplement le futur curé de Lumbres[1] d'une voix mal affermie. En vous écoutant j'ai cru vraiment tomber dans le trouble et le désespoir, mais c'est fini maintenant... Je... je crois... être tel... que vous pouvez le désirer... et... Et Dieu ne permettra pas que je sois tenté au-delà de mes forces. »

Ayant dit, il disparut, et, derrière lui, la porte se refermait déjà sans bruit*(**29**).

[Donissan est comme délivré par ce rude entretien. Il se livre à un intense travail intellectuel, très contraire à son tempérament. Il se consacre surtout à son ministère auprès de la population paysanne.]

Tous les matins, on le vit gravir de son pas rapide et un peu gauche le sentier abrupt qui, du presbytère, mène à l'église de Campagne. Sa messe dite, après une prière d'actions de grâces dont l'extrême brièveté surprit longtemps l'abbé Menou-Segrais, infatigable, son long corps penché en avant, les mains croisées derrière le dos, il gagnait la route de Brennes et parcourait en tous sens l'immense plaine qui, tracée de chemins difficiles, balayée d'une bise aigre, descend de la crête de la vallée de la Canche à la mer. Les maisons y sont rares, bâties à l'écart, entourées de pâturages, que défendent les fils de fer barbelés. A travers l'herbe glacée qui glisse et cède sous les talons, il faut parfois cheminer longtemps pour trouver à la fin, au milieu d'un petit lac de boue creusé par les sabots des bêtes, une mauvaise barrière de bois qui grince et résiste entre ses montants pourris. La ferme est quelque part, au creux d'un pli de terrain, et l'on ne voit dans l'air gris qu'un filet de fumée bleue, ou les deux brancards d'une charrette dressés vers le ciel, avec une poule dessus. Les paysans du canton, race goguenarde, regardaient en dessous avec méfiance la haute silhouette du vicaire, la soutane troussée, debout dans le brouillard, et

1. Voir p. 51, note 1.

qui s'efforçait de tousser d'un ton cordial. A sa vue la porte s'ouvrait chichement, et la maisonnée attentive, pressée autour du poêle, attendait son premier mot, lent à venir. D'un regard, chacun reconnaît le paysan infidèle à la terre, et comme un frère prodigue : au ton de respect et de courtoisie s'ajoute une nuance de familiarité protectrice, un peu méprisante, et le petit discours est écouté tout au long, dans un affreux silence... Quels retours, la nuit tombée, vers les lumières du bourg, lorsque l'amertume de la honte est encore dans la bouche et que le cœur est seul, à jamais!... « Je leur fais plus de mal que de bien », disait tristement l'abbé Donissan, et il avait obtenu de cesser pour un temps ces visites dont sa timidité faisait un ridicule martyre. Mais maintenant il les prodiguait de nouveau, ayant même obtenu de l'abbé Menou-Segrais qu'il se déchargeât sur lui de la plus humiliante épreuve, la quête de carême, que les malheureux appellent, avec un cynisme navrant, leur tournée. « Il ne rapportera pas un sou », pensait le doyen, sceptique... Et chaque soir, au contraire, le singulier solliciteur posait au coin de la table le sac de laine noire gonflé à craquer. C'est qu'il avait pris peu à peu sur tous l'irrésistible ascendant de celui qui ne calcule plus les chances et va droit devant. Car l'habile et le prudent ne ménagent au fond qu'eux-mêmes. Le rire du plus grossier est arrêté dans sa gorge, lorsqu'il voit sa victime s'offrir en plein à son mépris.

« Quel drôle de corps! » se disait-on, mais avec une nuance d'embarras. Autrefois, prenant sa place au coin le plus noir et pétrissant son vieux chapeau dans ses doigts, le malheureux cherchait longtemps en vain une transition adroite, heureuse, inquiet de placer le mot, la phrase méditée à loisir, puis partait sans avoir rien dit. A présent, il a trop à faire de lutter contre soi-même, de se surmonter. En se surmontant, il fait mieux que persuader ou séduire; il conquiert; il entre dans les âmes comme par la brèche. Ainsi que jadis il traverse la cour du même pas rapide, parmi les flaques de purin et le vol effarouché des poules. Comme autrefois le même marmot barbouillé, un doigt dans la bouche, l'observe du coin de l'œil tandis qu'il frotte à grand bruit ses souliers crottés. Mais déjà, quand il paraît sur le seuil, chacun se lève en silence. Nul ne sait le fond de ce cœur à la fois avide et craintif, que le plus petit obstacle va toucher jusqu'au désespoir, mais que rien ne saurait rassasier. C'est toujours ce prêtre honteux qu'un sourire déconcerte aux larmes et qui arrache à grand labeur chaque mot de sa gorge aride. Mais, de cette lutte intérieure, rien ne paraîtra plus au-dehors, jamais*(**30**). Le visage est impassible, la haute taille ne se courbe plus, les longues mains ont à peine un tressaillement. D'un regard, de ce regard profond, anxieux, qui ne cède pas, il a traversé les menues politesses, les mots vagues. Déjà il interroge, il appelle. Les mots les plus communs, les plus déformés par l'usage reprennent peu à peu leur sens, éveillent un étrange écho. « Quand il prononçait le nom de Dieu presque à voix basse, mais avec un tel accent, disait vingt ans après un vieux métayer de Sainte-Gilles, l'estomac nous manquait, comme après un coup de tonnerre... »

[Menou-Segrais suit avec étonnement et satisfaction ces progrès et cette activité. Mais il a le sentiment qu'il manque à son vicaire la *joie*.]

***

Or, l'abbé Donissan connaissait la joie.

Non pas celle-là, furtive, instable, tantôt prodiguée, tantôt refusée — mais une autre joie plus sûre, profonde, égale, incessante, et pour ainsi dire inexorable — pareille à une autre vie dans la vie, à la dilatation d'une nouvelle vie. Si loin qu'il remontât dans le passé, il n'y trouvait rien qui lui ressemblât, il ne se souvenait même pas de l'avoir jamais pressentie, ni désirée. A présent même il en jouissait avec une avidité craintive, comme d'un périlleux trésor que le maître inconnu va reprendre, d'une minute à l'autre, et qu'on ne peut déjà laisser sans mourir.

Aucun signe extérieur n'avait annoncé cette joie et il semblait qu'elle durât comme elle avait commencé, soutenue par rien, lumière dont la source reste invisible, où s'abîme toute pensée, comme un seul cri à travers l'immense horizon ne dépasse pas le premier cercle de silence... C'était la nuit même*(**31**) que le doyen de Campagne avait choisie pour l'extraordinaire épreuve, à la fin de cette nuit de Noël, dans la chambre où le pauvre prêtre s'était enfui, le cœur plein de trouble, à la première pointe de l'aube. Quelque chose de gris, qu'on peut à peine appeler le jour, montait dans les vitres, et la terre grise de neige, à l'infini, montait avec elle. Mais l'abbé Donissan ne la voyait pas. A genoux devant son lit découvert, il repassait chaque phrase du singulier entretien, s'efforçant d'en pénétrer le sens, puis tournait court, lorsqu'un des mots entendus, trop précis, trop net, impossible à parer, surgissait tout à coup dans sa mémoire. Alors il se débattait en aveugle contre une tentation nouvelle plus dangereuse. Et son angoisse était de ne pouvoir la nommer.

La Sainteté ! Dans sa naïveté sublime, il acceptait d'être porté d'un coup du dernier au premier rang, par ordre. Il ne se dérobait pas.

« Là où Dieu vous appelle, il faut monter, » avait dit l'autre. Il était appelé. « Monter ou se perdre ! » Il était perdu. [...]

Le jour se leva tout à fait. La petite chambre nue, sous la triste matinée de décembre, apparut dans son humble désordre : la table de bois blanc sous ses livres éparpillés, le lit de sangle poussé contre le mur, un de ses draps traînant à terre, et l'affreux papier pâli... Une minute, le pauvre prêtre regarda ces quatre murs si proches, et il en crut sentir la pression sur sa poitrine. L'intolérable sensation d'être pris au piège, de trouver dans la fuite un couloir sans issue, le mit soudain debout, le front glacé, les bras mollis, dans une inexprimable terreur.

Et tout à coup le silence se fit.

C'était comme, au travers d'une foule innombrable, ce bourdonnement qui prélude à l'étouffement total du bruit, dans la suspension de l'attente... Une seconde encore la vague profonde de l'air oscille lentement, se retire. Puis l'énorme masse vivante, tout à l'heure pleine de cris, retombe d'un bloc dans le silence*(**32**).

Ainsi les mille voix de la contradiction qui grondaient, sifflaient, grinçaient au cœur de l'abbé Donissan, avec une rage damnée, se turent ensemble. La tentation ne s'apaisait pas : elle n'était plus. La volonté de l'abbé Donissan, à la limite de son effort, sentit l'obstacle se dérober, et cette détente fut si brusque que le pauvre prêtre crut la ressentir jusque dans ses muscles, comme si le sol eût manqué sous lui. Mais cette dernière épreuve ne dura qu'un instant, et l'homme qui tout à l'heure se débattait sans espoir, sous un poids sans cesse accru, s'éveilla plus léger qu'un petit enfant, perdit la conscience même de vivre, dans un vide délicieux.

Ce n'était pas la paix, car la véritable paix n'est que l'équilibre des forces et la certitude intérieure en jaillit comme une flamme. Celui qui a trouvé la paix n'attend rien d'autre, et lui, il était dans l'attente d'on ne sait quoi de nouveau qui romprait le silence. Ce n'était pas la lassitude d'une âme surmenée, lorsqu'elle trouve le fond de la douleur humaine et s'y repose, car il désirait au-delà. Et non plus ce n'était pas l'anéantissement d'un grand amour, car dans le déliement de tout l'être le cœur encore veille et veut donner plus qu'il ne reçoit... Mais lui ne voulait rien : il attendait.

. . . .

Ce fut d'abord une joie furtive, insaisissable, comme venue du dehors, rapide, assidue, presque importune. Que craindre ou qu'espérer d'une pensée non formulée, instable, du désir léger comme une étincelle ?... Et pourtant, ainsi que dans le déchaînement de l'orchestre le maître perçoit la première et l'imperceptible vibration de la note fausse, mais trop tard pour en arrêter l'explosion, ainsi le vicaire de Campagne ne douta pas que cela qu'il attendait sans le connaître était venu.

[L'aube paraît, laiteuse, à travers les vitres de la petite chambre. Le vicaire sent en lui cette invraisemblable joie comme une présence. Mais elle ne lui donnera pas le repos, car elle porte en son sein, comme une « note fausse », l'angoisse et le doute.]

Le doute, à peine formulé dans son esprit, s'en rend maître. D'un premier mouvement, il a voulu se jeter à genoux, prier. Pour la seconde fois, la prière s'arrête sur ses lèvres. Le cri de l'humble détresse ne sera pas poussé : le suprême avertissement aura été donné en vain. La volonté déjà cabrée échappe à la main qui la sollicite : une autre s'en empare, dont il ne faut attendre pitié ni merci*(**33**).

Ah ! que l'autre est fort et adroit, qu'il est patient quand il faut et, lorsque son heure est venue, prompt comme la foudre ! Le saint de Lumbres, un jour, connaîtra la face de son ennemi. Il faut cette fois qu'il subisse en aveugle sa première entreprise, reçoive son premier choc. La vie de cet homme étrange, qui ne fut qu'une lutte forcenée, terminée par une mort amère, qu'eût-elle été si, de ce coup, la ruse déjouée, il se fût abandonné sans effort à la miséricorde — s'il eût appelé au secours ? Fût-il devenu l'un de ces saints dont l'histoire ressemble à un conte, de ces doux qui possèdent la terre, avec un sourire d'enfant roi ?... Mais à quoi bon rêver ? Au moment décisif, il accepte le combat, non par orgueil, mais d'un irrésistible élan. A l'approche de l'adversaire, il s'emporte non de crainte, mais de haine. Il est né pour la guerre ; chaque détour de sa route sera marqué d'un flot de sang. [...]

Le pauvre prêtre croit flairer le piège tendu, lorsque déjà les deux mâchoires l'étreignent, et chaque effort les va resserrer sur lui. Dans la nuit qui retombe, la frêle clarté le défie... Il provoque, il appelle presque la plénière[1] angoisse, miraculeusement dissipée. Toute certitude, même du pire, n'est-elle pas meilleure que la halte anxieuse, au croisement des routes, dans la nuit perfide ? Cette joie sans cause ne peut être qu'une illusion. Une espérance si secrète, au plus intime, au plus profond, née tout à coup — qui n'a pas d'objet — indéfinie, ressemble trop à la présomption de l'orgueil... Non ! Le mouvement de la grâce n'a pas cet attrait sensuel... *Il lui faut déraciner cette joie !*

Sitôt sa résolution prise, il n'hésite plus. L'idée du sacrifice à consommer ici même — dans un instant — pointe en lui cette autre flamme du désespoir intrépide, force et faiblesse de cet homme unique, et son arme que tant de fois Satan lui retournera dans le cœur. Son visage, maintenant glacé, reflète dans le regard sombre la détermination d'une violence calculée. Il s'approche de la fenêtre, l'ouvre. A la barre d'appui, jadis brisée, la fantaisie d'un prédécesseur de l'abbé Menou-Segrais a substitué une chaîne de bronze, trouvée au fond de quelque armoire de sacristie. De ses fortes mains, l'abbé Donissan l'arrache des deux clous qui la fixent. Une minute plus tard, l'étrange discipline tombait en sifflant sur son dos nu.

[...] Aux premiers coups, la chair soulevée laissa filtrer à peine quelques gouttes de sang. Mais il jaillit tout à coup, vermeil. Chaque fois la chaîne sifflante, un instant tordue au-dessus de sa tête, venait le mordre au flanc, et s'y reployait comme une vipère : il l'en arrachait du même geste, et la levait de nouveau, régulier, attentif, pareil à un batteur sur l'aire. La douleur aiguë, à laquelle il avait répondu d'abord par un gémissement sourd, puis seulement de profonds

1. Par analogie avec l'expression « indulgence plénière ».

soupirs, était comme noyée dans l'effusion du sang tiède qui ruisselait sur ses reins et dont il sentait seulement la terrible caresse. A ses pieds une tache brune et rousse s'élargissait sans qu'il l'aperçût. Une brume rose était entre son regard et le ciel livide, qu'il contemplait d'un œil ébloui. Puis cette brume disparut tout à coup, et avec elle le paysage de neige et de boue, et la clarté même du jour. Mais il frappait et frappait encore dans ces nouvelles ténèbres, il eût frappé jusqu'à mourir. Sa pensée, comme engourdie par l'excès de la douleur physique, ne se fixait plus et il ne formait aucun désir, sinon d'atteindre et de détruire, dans cette chair intolérable, le principe même de son mal. Chaque nouvelle violence en appelait une autre plus forte, impuissante encore à le rassasier. Car il en était à ce paroxysme où l'amour trompé n'est plus fort que pour détruire. Peut-être croyait-il étreindre et détester cette part de lui-même, trop pesante, le fardeau de sa misère, impossible à tirer jusqu'en haut; peut-être croyait-il châtier ce corps de mort dont l'apôtre souhaitait aussi d'être délivré, mais la tentation était dès lors plus avant dans son cœur, et il se haïssait tout entier. Ainsi l'homme qui ne peut survivre à son rêve, il se haïssait... Mais il n'avait dans la main qu'une arme inoffensive, dont il se déchirait en vain.

[Donissan tombe enfin, épuisé. Son curé le réveille tardivement pour la messe, et, par un effort surhumain, il arrive à dissimuler son état et à se rendre à l'église.]

⁂

[...] A travers l'air coupant, irisé d'une poussière de neige, il tenait âprement son regard fixé sur le clocher plein de soleil. Les couples endimanchés le saluaient en passant; il ne les voyait point. Pour parcourir ces trois cents mètres, il dut se reprendre vingt fois, sans que rien dénonçât, dans son pas toujours égal, les péripéties de la lutte intérieure où il prodiguait, jetait à pleines mains ces forces profondes, irréparables, dont chaque être vivant n'a que sa juste mesure. Au seuil du petit cimetière, les clous de ses souliers glissèrent sur le silex et il dut faire, pour se redresser, un effort surhumain. La porte n'était plus qu'à vingt pas. Il l'atteignit encore. Et encore cette autre porte basse de la sacristie, au-delà de l'échiquier vertigineux des dalles noires et blanches, où le reflet des vitraux danse à ses yeux éblouis... Et la sacristie même, pleine de l'âcre odeur de résine, d'encens et de vin répandu... Tout autour, les enfants de chœur, rouges et blancs, tournent et bourdonnent comme un essaim. Il passe, un par un, les ornements, d'un geste machinal, les yeux clos, remâchant les prières d'usage dans sa bouche, amère. En nouant les cordons de la chasuble[1], il gémit, et jusqu'au pied de l'autel le même gémissement imperceptible ne cessa pas, roulait dans sa gorge... Derrière lui, mille bruits divers rebondissent jusqu'aux voûtes, pour s'y confondre en un seul murmure — ce vide sonore auquel il devra faire face, à l'introït[2], les bras étendus... Il monte à tâtons les trois marches, s'arrête*(**34**). Alors il regarde la Croix.

O vous, qui ne connûtes jamais du monde que des couleurs et des sons sans substance, cœurs sensibles, bouches lyriques où l'âpre vérité fondrait comme une praline — petits cœurs, petites bouches — ceci n'est point pour vous. Vos diableries sont à la mesure de vos nerfs fragiles, de vos précieuses cervelles, et le Satan de votre étrange rituaire[3] n'est que votre propre image déformée, car le dévot de l'univers charnel est à soi-même Satan. Le monstre vous regarde en riant, mais il n'a pas mis sur vous sa serre. Il n'est pas dans vos livres radoteurs, et non plus dans vos blasphèmes ni vos ridicules malédictions. Il n'est pas dans vos regards avides, dans vos mains perfides, dans vos oreilles pleines de vent. C'est en vain que vous le cherchez dans la chair plus secrète que votre misérable désir traverse sans s'assouvir, et la bouche que vous mordez ne rend qu'un sang fade et pâli... Mais il est cependant... Il est dans l'oraison du Solitaire[4], dans son jeûne et sa pénitence, au creux de la plus profonde extase, et dans le silence du cœur... Il empoisonne l'eau lustrale[5], il brûle dans la cire consacrée, respire dans l'haleine des vierges, déchire avec la haire et la discipline, corrompt toute voie. On l'a vu mentir sur les

1. *Chasuble :* manteau de soie formé de deux pans, que le prêtre met sur ses épaules pour célébrer la messe; **2.** *Introït :* prières du début de la messe (= « entrée »); **3.** *Rituaire :* ensemble des rites d'une religion; **4.** *Solitaire :* moine qui s'est retiré dans le désert; **5.** Eau bénite servant aux cérémonies religieuses.

lèvres entrouvertes pour dispenser la parole de vérité, poursuivre le juste, au milieu du tonnerre et des éclairs du ravissement béatifique, jusque dans les bras même de Dieu... Pourquoi disputerait-il tant d'hommes à la terre sur laquelle ils rampent comme des bêtes, en attendant qu'elle les recouvre demain? Ce troupeau obscur va tout seul à sa destinée... Sa haine s'est réservé les saints*(**35**).

Alors il regarde la Croix. Depuis la veille il n'a pas prié, et peut-être ne prie-t-il pas encore. En tout cas, ce n'est pas une supplication qui monte à ses lèvres. Dans le grand débat de la nuit, c'était bien assez de tenir tête et de rendre coup pour coup : l'homme qui défend sa vie dans un combat désespéré tient son regard ferme devant lui, et ne scrute pas le ciel d'où tombe la lumière inaltérable sur le bon et sur le méchant. Dans l'excès de sa fatigue, ses souvenirs le pressent, mais groupés au même point de la mémoire, ainsi que les rayons lumineux au foyer de la lentille. Ils ne font qu'une seule douleur. Tout l'a déçu ou trompé. Tout lui est piège et scandale. De la médiocrité où il se désespérait de languir, la parole de l'abbé Menou-Segrais l'a porté à une hauteur où la chute est inévitable. L'ancienne déréliction n'était-elle point préférable à la joie qui l'a déçu! O joie plus haïe d'avoir été, un moment, tant aimée! O délire de l'espérance! O sourire, ô baiser de la trahison! Dans le regard qu'il fixe toujours — sans un mot des lèvres, sans même un soupir — sur le Christ impassible, s'exprime en une fois la violence de cette âme forcenée. Telle la face entrevue du mauvais pauvre, à la haute fenêtre resplendissante, dans la salle du festin. Toute joie est mauvaise, dit ce regard. Toute joie vient de Satan. Puisque je ne serai jamais digne de cette préférence dont se leurre mon unique ami, ne me trompe pas plus longtemps, ne m'appelle plus! Rends-moi à mon néant. Fais de moi la matière inerte de ton œuvre. Je ne veux pas de la gloire! Je ne veux pas de la joie! Je ne veux même plus de l'espérance! Qu'ai-je à donner? Que me reste-t-il? Cette espérance seule. Retire-la-moi. Prends-la! Si je le pouvais, sans te haïr, je t'abandonnerais mon salut, je me damnerais pour ces âmes que tu m'as confiées par dérision, moi, misérable!

Et il défiait ainsi l'abîme, il l'appelait d'un vœu solennel, avec un cœur pur*(**36**).

III

[Donissan est envoyé par son curé à Étaples, pour aider à y confesser les paroissiens pendant une retraite.]

Il allait, sous une pluie de novembre, à grands pas, au milieu des prés déserts. A sa gauche la mer se devinait, invisible, à la limite de l'horizon pressé d'un ciel mouvant, couleur de cendre. A sa droite, les dernières collines. Devant lui, la muette étendue plate. Le vent d'ouest plaquait sa soutane aux genoux, soulevant par intervalles une poussière d'eau glacée, au goût de sel. Il avançait pourtant d'un pas régulier, sans dévier d'une ligne, son parapluie de coton roulé sous le bras. Qu'eût-il osé demander de plus ? Chaque pas le rapprochait de la vieille église, déjà reconnue, si étrangement casquée dans sa détresse solitaire. Il y devine, autour du confessionnal, le petit peuple féminin, habile à gagner la première place, querelleur, à mines dévotes, regards à double et triple détente, lèvres saintement jointes ou pincées d'un pli mauvais — puis, auprès du troupeau murmurant, si gauches et si roides !... les hommes. Chose singulière, et l'on voudrait pouvoir dire, en un tel sujet, exquise ! Le rude jeune prêtre, à cette pensée, s'émeut d'une tendresse inquiète; il hâte le pas sans y songer, avec un sourire si doux et si triste qu'un roulier qui passe lui tire son chapeau sans savoir pourquoi... On l'attend. Jamais mère sur le chemin du retour, et qui rêve au merveilleux petit corps qui tiendra bientôt tout entier dans sa caresse, n'eut dans le regard plus d'impatience et de candeur... Et déjà se creuse, à travers le sable, le lit du fleuve amer, déjà la colline aride et la haute silhouette du phare blanc dans les sapins noirs. [...]

Il repasse donc dans sa mémoire les faits de ces derniers mois. C'est vrai qu'il n'éprouve aucun regret de mortifications qui, pour un temps, ont exalté son courage. Avant que l'abbé Chapdelaine[1] lui en eût demandé le sacrifice, il les avait déjà condamnées dans son cœur. Ne l'avaient-elles point consolé, allégé ? N'avaient-elles point rouvert en lui cette source de joie, qu'il eût voulu tarir ? A présent, il est plus fidèle que jamais à la promesse faite un jour devant la Croix[2], tout à coup révélée, à la minute inoubliable. La

1. Directeur de conscience et confesseur du vicaire ; 2. Voir plus haut, p. 65.

part qu'il a choisie ne lui sera pas disputée. Nul autre audacieux n'a fait avant lui ce pacte avec les ténèbres.

Si nous n'avions reçu de la bouche même du saint de Lumbres[1] l'aveu si simple et si déchirant de ce qu'il lui a plu d'appeler la période effroyable de sa vie, on se refuserait sans doute à croire qu'un homme ait commis délibérément, avec une entière bonne foi, comme une chose simple et commune, une sorte de suicide moral dont la cruauté raisonnée, raffinée, secrète, donne le frisson. On ne peut en douter pourtant. Des jours et des jours, celui dont la tendre et sagace charité devait relever l'espérance au fond de tant de cœurs, qui paraissaient vides à jamais, entreprit d'arracher de lui-même cette espérance. Son subtil martyre, si parfaitement mêlé à la trame de la vie, finissait par se confondre avec elle.

[Ainsi s'efforce-t-il, autre mortification débilitante, à d'épuisants exercices de méditation et d'oraison sur de pieuses lectures de très médiocre qualité.

Voici cependant venu, sur cette route d'Étaples, le moment où « l'œuvre cruelle porterait ses fruits, développerait sa pleine malice ».]

L'abbé Donissan se leva et, fixant un moment le paysage, aux trois quarts englouti dans l'ombre, il se sentit troublé par une espèce d'inquiétude, qu'il surmonta d'abord aisément. Devant lui, la route plongeait maintenant vers la vallée, entre deux hauts talus, semés d'une herbe courte et rare. Soit qu'ils le protégeassent tout à fait du vent (qui, le soleil couché, s'était élevé de nouveau), soit pour toute autre cause, le profond, l'épais silence n'était plus traversé d'aucun bruit. Et bien que la ville fût proche, et l'heure peu avancée, il n'entendait, en prêtant l'oreille, que le vague frémissement de la terre, perceptible à peine, et si monotone que l'extraordinaire silence s'en trouvait accru. D'ailleurs, ce murmure même cessa.

Il se mit à marcher — ou plutôt il lui sembla depuis qu'il avait marché très vite, sur une route irréprochablement unie, à pente très douce, au sol élastique. Sa fatigue avait disparu et il se retrouvait, à la fin de sa longue course, remarquablement libre et léger. Surtout, la liberté de sa pensée l'étonna. Certaines difficultés qui l'obsédaient depuis des semaines

1. Voir p. 51, note 1.

s'évanouirent, sitôt qu'il essaya seulement de les formuler. Des chapitres entiers de ses livres, si péniblement lus et commentés, qu'il arrachait ordinairement comme par lambeaux de sa mémoire, se présentaient tout à coup dans leur ordre, avec leurs titres, leurs sous-titres, l'alignement de leurs paragraphes et jusqu'à leurs notes marginales. Toujours marchant, courant presque, il s'avisa de quitter la grande route pour couper au court par les sentiers de la Ravenelle qui, longeant le cimetière, débouche au seuil même de l'église. Il s'y engagea sans seulement ralentir son pas. Habituellement creusé jusqu'au plein de l'été par de profondes ornières, où dort une eau chargée de sel, le chemin n'est guère suivi que par les pêcheurs et les bouviers. A la grande surprise de l'abbé Donissan, le sol lui en parut uni et ferme. Il s'en réjouit. Bien que l'extraordinaire activité, la libre effervescence de sa pensée l'eût comme enivré, son regard attendait au passage quelques détails familiers, à travers la nuit, la tache d'un buisson, un détour brusque, l'abaissement du talus dans sa course vers le ciel noir, la cabane du cantonnier. Mais, après avoir marché assez longtemps, il fut surpris de sentir, au contraire de ce qu'il attendait, sous ses pas une pente légère, soudain plus roide, puis l'herbe drue d'un pré. Levant les yeux, il reconnut la route quittée un instant plus tôt. Peut-être s'était-il engagé, sans le voir, dans un chemin de traverse qui l'avait insensiblement ramené au point de départ, le dos à la ville ? Car il vit très nettement (pourquoi si nettement dans la nuit close ?...) les premières maisons du faubourg.

« Quel contretemps », pensa-t-il, mais sans déception ni colère*(**37**).

[Ainsi, par trois fois, il essaye de retrouver sa route ; par trois fois il est mystérieusement égaré et ramené au même point. Il se décide alors à revenir à Campagne, s'inclinant devant cette espèce de fatalité.]

Après un dernier fossé franchi, le voilà maintenant sur un chemin de terre, fort étroit, à peine tracé, au milieu des labours. Il se souvient de l'avoir suivi, peut-être, — une heure ou deux plus tôt. Mais *alors il était seul*, semble-t-il...

Car depuis un moment (pourquoi ne l'avouerait-il point ?) *il n'est plus seul*. Quelqu'un marche à ses côtés. C'est sans doute un petit homme, fort vif, tantôt à droite, tantôt à gauche, devant, derrière, mais dont il distingue mal la silhouette — et qui trotte d'abord sans souffler mot. Par une nuit si noire, ne pourrait-on s'entraider ? A-t-on besoin de se connaître pour aller de compagnie, à travers ce grand silence, cette grande nuit ?

« Une grande nuit, hein ? dit tout à coup le petit homme.

— Oui, monsieur, répond l'abbé Donissan. Nous sommes encore loin du jour. »

C'est certainement un jovial garçon, car sa voix, sans aucun éclat, a un accent de gaieté secrète, véritablement irrésistible. Elle achève de rassurer le pauvre prêtre. Même il craint que sa brève réponse n'ait fâché le joyeux compagnon, plein de bonne humeur. Qu'une parole humaine peut être agréable à entendre ainsi, à l'improviste, et qu'elle est douce ! L'abbé Donissan se souvient qu'il n'a pas d'ami.

« J'estime, prononce alors le noir petit marcheur, que l'obscurité rapproche les gens. C'est une bonne chose, une très bonne chose. Quand il n'y voit goutte, le plus malin n'est pas fier. Une supposition que vous m'ayez rencontré en plein midi : vous passiez sans seulement tourner la tête... Et ainsi donc, vous venez d'Étaples ? »

Sans attendre la réponse, il précède rapidement son compagnon, empoigne le fil barbelé d'une clôture invisible, le tient poliment levé à bout de bras pour faciliter le passage. Puis il reprend, de sa joyeuse voix un peu sourde :

« Ainsi, vous venez d'Étaples, et vous allez sans doute à Cumières ?... ou Chalindry ?... ou Campagne ?...

— A Campagne, répond le vicaire, qui évite ainsi de mentir.

— Je ne vous accompagnerai pas jusque-là, reprend-il en riant à petits coups, d'un rire amical... Nous coupons au court, à travers champs, vers Chalindry : je connais les clôtures ; j'irais les yeux fermés.

— Je vous remercie, dit l'abbé Donissan, débordant de reconnaissance. Je vous remercie de votre obligeance et de votre charité. Tant d'étrangers m'eussent laissé sans secours : il y a de bonnes gens auxquels ma pauvre soutane fait peur. »

Le petit homme siffle avec dédain :

« Des nigauds, fait-il, des ignorants, des culs-terreux qui ne savent pas lire. J'en rencontre assez souvent, sur les marchés, dans les foires de Calais jusqu'au Havre. Que de bêtises on entend! Que de misères! J'ai un frère de ma mère prêtre, moi qui vous parle. »

Il se pencha de nouveau vers une haie épaisse et courte, hérissée d'épines; après l'avoir tâtée, reconnue de ses longs bras agiles, entraînant le vicaire sur la droite, avec une vivacité singulière, il découvrit une large brèche et, s'effaçant pour le laisser passer :

« Constatez vous-même, fit-il, je n'ai pas besoin d'y voir. Un autre que moi, par une nuit pareille, tournerait en rond jusqu'au matin. Mais ce pays-ci m'est connu.

— L'habitez-vous? demanda presque timidement le vicaire de Campagne (car, à mesure qu'il s'éloignait de la ville dont l'avait détourné une succession d'événements inexplicables, une terreur comme apaisée, sourde, mêlée de honte — pareille au souvenir d'un rêve impur — pénétrait profondément son cœur et la pointe enfin détournée, le laissait faible, hésitant, avec le désir enfantin d'une présence secourable, certaine, d'un bras à serrer).

— Je n'habite nulle part, autant dire, avoua l'autre. Je voyage pour le compte d'un marchand de chevaux du Boulonnais. J'étais à Calais avant-hier : je serai jeudi à Avranches[1]. Oh! la vie est dure, et je n'ai pas le temps de prendre racine nulle part.

— Êtes-vous marié? » interrogea de nouveau l'abbé Donissan.

Il éclata de rire :

— Marié avec la misère. Où voulez-vous que je trouve le loisir de penser sérieusement à tout ça? On va, on vient, on ne s'attache pas. On prend son plaisir en passant*(**38**). »

[Donissan, épuisé, est saisi d'un malaise soudain. Le maquignon le fait étendre à terre près de lui pour qu'il se repose.]

C'est alors, c'est à ce moment même, et tout à coup, bien qu'une certitude si nouvelle ne s'étendît que progressivement dans le champ de la conscience, c'est alors, dis-je, que le vicaire de Campagne connut que, ce qu'il avait fui tout au long de cette exécrable nuit, il l'avait enfin rencontré.

Était-ce la crainte? Était-ce la conviction désespérée que ce qui devait être était enfin, que l'inévitable était accompli? Était-ce cette joie amère du condamné qui n'a plus rien à

1. *Avranches :* ville normande, en face du Mont-Saint-Michel

espérer ni à débattre ? Ou n'était-ce pas plutôt le pressentiment de la destinée du curé de Lumbres[1] ? En tout cas, il fut à peine surpris d'entendre la voix qui disait :

« Calez-vous bien... ne tombez pas, jusqu'à ce que ce petit accès soit passé. Je suis vraiment votre ami — mon camarade — je vous aime tendrement. »

Un bras ceignait ses reins d'une étreinte lente, douce, irrésistible. Il laissa retomber tout à fait sa tête, pressée au creux de l'épaule et du cou, étroitement. Si étroitement qu'il sentait sur son front et sur ses joues la chaleur de l'haleine*(**39**).

« Dors sur moi, nourrisson de mon cœur, continuait la voix sur le même ton. Tiens-moi ferme, bête stupide, petit prêtre, mon camarade. Repose-toi. Je t'ai bien cherché, bien chassé. Te voilà. Comme tu m'aimes ! Mais comme tu m'aimeras mieux encore, car je ne suis pas près de t'abandonner, mon chérubin, gueux tonsuré, vieux compagnon pour toujours ! »

C'était la première fois que le saint de Lumbres entendait, voyait, touchait celui-là qui fut le très ignominieux associé de sa vie douloureuse, et, si nous en croyons quelques-uns qui furent les confidents ou les témoins d'une certaine épreuve secrète, que de fois devra-t-il l'entendre encore, jusqu'au définitif élargissement[2]. C'était la première fois et pourtant il le reconnut sans peine. Il lui fut même refusé de douter à cette minute de ses sens ou de sa raison. Car il n'était pas de ceux qui prêtent naïvement au bourreau familier, présent à chacune de nos pensées, nous couvant de sa haine, bien qu'avec patience et sagacité, le port et le style épiques... Tout autre que le vicaire de Campagne, même avec une égale lucidité, n'eût pu réprimer, dans une telle conjoncture, le premier mouvement de la peur, ou du moins la convulsion du dégoût. Mais lui, contracté d'horreur, les yeux clos, comme pour recueillir au-dedans l'essentiel de sa force, attentif à s'épargner une agitation vaine, toute sa volonté tirée hors de lui ainsi qu'une épée du fourreau, il tâchait d'épuiser son angoisse.

Toutefois, lorsque, par une dérision sacrilège, la bouche immonde pressa la sienne et lui vola son souffle, la perfection de sa terreur fut telle que le mouvement même de la vie

1. Voir p. 51, note 1 ; 2. *Élargissement* : mise en liberté après une peine de prison.

s'en trouva suspendu, et il crut sentir son cœur se vider dans ses entrailles.

« Tu as reçu le baiser d'un ami, dit tranquillement le maquignon, en appuyant ses lèvres au revers de la main. Je t'ai rempli de moi, à mon tour, tabernacle de Jésus-Christ, cher nigaud! Ne t'effraye pas pour si peu : j'en ai baisé d'autres que toi, beaucoup d'autres. Veux-tu que je te dise? Je vous baise tous, veillants ou endormis, morts ou vivants. Voilà la vérité. Mes délices sont d'être avec vous, petits hommes-dieux, singulières, singulières, si singulières créatures! A parler franc, je vous quitte peu. Vous me portez dans votre chair obscure, moi dont la lumière fut l'essence — dans le triple recès[1] de vos tripes — moi, Lucifer... Je vous dénombre. Aucun de vous ne m'échappe. Je reconnaîtrais à l'odeur chaque bête de mon petit troupeau. »

[Mais Donissan, tendu dans la souffrance et la prière, arrive à tenir en échec sous son regard le démon. Celui-ci se tord dans une gesticulation frénétique et ridicule; il se sent dominé, voudrait abandonner son déguisement.]

Le regard, toujours fixé sur le sien, ressemblait à n'importe quel autre regard, et la même voix parlait à ses oreilles, comme si elle ne s'était jamais tue.

« Je vais te quitter, disait-elle. Tu ne me reverras jamais. On ne me voit qu'une fois. Demeure dans ton entêtement stupide. Ah! si vous saviez le salaire que ton maître vous réserve, tu ne serais pas si généreux, car nous seuls — nous, dis-je! — nous seuls ne sommes point ses dupes et, de son amour ou sa haine, nous avons choisi — par une sagacité magistrale, inconcevable à vos cervelles de boue — sa haine... Mais pourquoi t'éclairer là-dessus, chien couchant, bête soumise, esclave qui crée chaque jour son maître! »

Se baissant avec une agilité singulière, il prit au hasard un caillou du chemin, le leva vers le ciel entre ses doigts, prononça les paroles de la consécration, qu'il termina par un joyeux hennissement... D'ailleurs, tout se fit avec la rapidité de l'éclair. L'écho du rire parut retentir jusqu'à l'extrême horizon. La pierre rougit, blanchit, éclata soudain d'une lueur furieuse. Et, toujours riant, il la rejeta dans la boue, où elle s'éteignit avec un sifflement terrible.

1. *Recès* (du latin *recessus*) : cachette, lieu secret.

« Cela n'est qu'un jeu, fit-il, un jeu d'enfant. Cela ne vaut même pas la peine d'être vu. Néanmoins, voici l'heure où nous devons nous quitter pour toujours.

— Va-t'en! dit le saint de Lumbres. Qui te retient?... »

Sa voix était basse et tranquille, avec on ne sait quel frémissement de pitié.

« On nous accueille avec effroi, répondit l'autre d'une voix également basse, mais on ne nous quitte pas sans péril.

— Va-t'en », répondit doucement le vicaire de Campagne.

L'affreuse créature fit un bond, tourna plusieurs fois sur elle-même avec une incroyable agilité, puis fut violemment lancée, comme par une détente irrésistible, à quelques pas, les deux bras étendus, ainsi qu'un homme qui chercherait en vain à rattraper son équilibre. Si grotesque que fût cette cabriole inattendue, la succession des mouvements, leur violence calculée, plus encore leur brusque arrêt avaient je ne sais quelle singularité qui ne prêtait pas à rire. L'obstacle invisible contre lequel le noir lutteur s'était tout à coup heurté n'était certes pas ordinaire, car, bien qu'il eût paru en esquiver le choc avec une souplesse infinie, dans le grand silence, imperceptiblement, mais jusque dans ses profondeurs, le sol trembla et gémit.

Il recula lentement, tête basse, et s'assit sans bruit, comme humblement.

« Vous me tenez donc, dit-il en haussant les épaules. Jouissez de votre pouvoir tout le temps qui vous est donné.

— Je n'ai aucun pouvoir, répondit l'abbé Donissan, avec tristesse : pourquoi me tenter*(**40**)? Non! cette force ne vient pas de moi, et tu le sais. Cependant je t'observe depuis un moment avec quelque profit. Ton heure est venue.

— Cela n'a pas beaucoup de sens, repartit l'autre, doucement. De quelle heure parlez-vous? Est-il encore une heure pour moi?

— Il m'est donné de te voir, prononça lentement le saint de Lumbres. Autant que cela est possible au regard de l'homme, je te vois. Je te vois écrasé par ta douleur, jusqu'à la limite de l'anéantissement — qui ne te sera point accordé, ô créature suppliciée! »

A ce dernier mot, le monstre roula de haut en bas du talus sur la route, et se tordit dans la boue, tiré par d'horribles spasmes. Puis il s'immobilisa, les reins furieusement creusés, reposant sur la tête et sur les talons, ainsi qu'un tétanique[1]. Et sa voix s'éleva enfin, perçante, aiguë, lamentable :

« Assez! Assez! chien consacré, bourreau! Qui t'a appris que de tout au monde la pitié est ce que nous redoutons le plus, bête ointe[2]! Fais de moi ce qu'il te plaira... Mais si tu me pousses à bout... »

Quel homme n'eût entendu avec effroi cette plainte proférée avec des mots — et cependant hors du monde? Quel homme n'eût au moins douté de sa raison? Mais le saint de Lumbres, son regard fixé vers le sol, ne songeait qu'à celles des âmes que celui-ci avait perdues...

Tout le temps que dura l'oraison, l'autre continua de gémir et de grincer, mais avec une force décroissante. Lorsque le vicaire de Campagne se releva, il se tut tout à fait. Il gisait, pareil à une dépouille.

« Que me voulais-tu, cette nuit? » demanda l'abbé Donissan, avec autant de calme que s'il se fût adressé à quelqu'un de ses familiers.

De la dépouille immobile une nouvelle voix monta :

« Il nous est permis de t'éprouver, dès ce jour et jusqu'à l'heure de ta mort. D'ailleurs, qu'ai-je fait moi-même, sinon obéir à un plus puissant? Ne t'en prends pas à moi, ô juste, ne me menace plus de ta pitié.

— Que me voulais-tu? répéta l'abbé Donissan. N'essaie pas de mentir. J'ai le moyen de te faire parler.

— Je ne mens pas. Je te répondrai. Mais relâche un peu ta prière. A quoi bon, si j'obéis? Il m'a envoyé vers toi pour t'éprouver. Veux-tu que je te dise de quelle épreuve? Je te le dirai. Qui te résisterait, ô mon maître*(**41**)?

— Tais-toi, répondit l'abbé Donissan, avec le même calme. L'épreuve vient de Dieu. Je l'attendrai, sans en vouloir rien apprendre, surtout d'une telle bouche. C'est de Dieu que je reçois à cette heure la force que tu ne peux briser. »

Au même instant, ce qui se tenait devant lui s'effaça, ou plutôt les lignes et contours s'en confondirent dans une vibration mystérieuse, ainsi que les rayons d'une roue qui tourne à toute vitesse. Puis ces traits se reformèrent lentement.

Et le vicaire de Campagne vit soudain devant lui son

1. Un malade atteint du tétanos est saisi par un spasme irrépressible; **2.** Qui a reçu l'*onction*, c'est-à-dire consacré à Dieu.

double, une ressemblance si parfaite, si subtile, que cela se fût comparé moins à l'image reflétée dans un miroir qu'à la singulière, à l'unique et profonde pensée que chacun nourrit de soi-même.

Que dire? C'était son visage pâli, sa soutane souillée de boue, le geste instinctif de sa main vers le cœur; c'était là son regard, et, dans ce regard, il lisait la crainte. Mais jamais sa propre conscience, dressée pourtant à l'examen particulier, ne fût parvenue, à elle seule, à ce dédoublement prodigieux. L'observation la plus sagace, tournée vers l'univers intérieur, n'en saisit qu'un aspect à la fois. Et ce que découvrait le futur saint de Lumbres, à ce moment, c'était l'ensemble et le détail, ses pensées, avec leurs racines, leurs prolongements, l'infini réseau qui les relie entre elles, les moindres vibrations de son vouloir, ainsi qu'un corps dénudé montrerait dans le dessin de ses artères et de ses veines le battement de la vie. Cette vision, à la fois une et multiple, telle que d'un homme qui saisirait du regard un objet dans ses trois dimensions, était d'une perfection telle que le pauvre prêtre se reconnut, non seulement dans le présent, mais dans le passé, dans l'avenir, qu'il reconnut toute sa vie... Hé quoi! Seigneur, sommes-nous ainsi transparents à l'ennemi qui nous guette? Sommes-nous donnés si désarmés à sa haine pensive?...

Un moment, ils restèrent ainsi face à face. L'illusion était trop subtile pour que l'abbé Donissan ressentît proprement de la terreur. Quelque effort qu'il fît, il ne lui était pas tout à fait possible de se distinguer de son double, et pourtant il gardait à demi le sentiment de sa propre unité. Non : ce n'était point de la terreur, mais une angoisse, d'une pointe si aiguë, que l'entreprise de sommer cette apparence, ainsi qu'un ennemi revêtu de sa propre chair, lui parut presque insensée. Il l'osa cependant.

« Retire-toi, Satan! » dit-il, les dents serrées. [...]

« Réponds donc! (Il traça le signe de la croix, non sur l'objet, mais sur sa propre poitrine.) Dieu t'a-t-il donné ma vie? Dois-je mourir ici même?

— Non, dit la voix, du même accent déchirant. Nous ne disposons pas de toi.

— En ce cas, que je vive un jour, ou vingt ans, je devrai t'arracher ton secret. Je te l'arracherai, dussé-je te suivre où sont les tiens. Je ne te crains pas! je n'ai pas peur! Sans doute, tu m'es de nouveau obscur, mais je t'ai vu tout à l'heure, ô supplicié. N'as-tu pas perdu assez d'âmes? Te faut-il encore d'autres proies? Tu es entre mes mains. J'essaierai ce que Dieu m'inspirera. Je prononcerai des paroles dont tu as horreur. Je te clouerai au centre de ma prière comme une chouette[1]. Ou tu renonceras à tes entreprises contre les âmes qui me sont confiées. »

A sa grande surprise, et à l'instant même où il croyait donner toute sa force, irrésistiblement, il vit la dépouille s'agiter, s'enfler, reprendre une forme humaine, et ce fut le jovial compagnon de la première heure qui lui répondit* (**42**) :

« Je vous crains moins, toi et tes prières, que celui... (Commencée dans un ricanement, sa phrase s'achevait sur le ton de la terreur.) Il n'est pas loin... Je le flaire depuis un instant... Ho! Ho! que ce maître est dur! »

Il trembla de la tête aux pieds. Puis sa tête s'inclina sur l'épaule, et son visage s'éclaira de nouveau, comme s'il entendait décroître le pas ennemi. Il reprit :

« Tu m'as pressé, mais je t'échappe. M'arrêter dans mes entreprises! Fou que tu es! je n'ai pas fini de m'emplir de sang chrétien! Aujourd'hui une grâce t'a été faite. Tu l'as payée cher. Tu la paieras plus cher!

— Quelle grâce? » s'écria l'abbé Donissan.

Il eût voulu retenir cette parole, mais l'autre s'en empara aussitôt. La bouche impure eut un frisson de joie.

« Ainsi que tu t'es vu toi-même tout à l'heure (pour la première et dernière fois), ainsi tu verras... tu verras... hé! hé!...

— Qu'entends-tu par là, menteur? » cria le vicaire de Campagne. [...]

L'autre se frottait vigoureusement les paumes.

« Quelle grâce?... Quelle grâce?... répétait-il en imitant comiquement sa victime... Dans le combat que tu nous livres, il est facile de faire un faux pas. Ta curiosité te donne à moi pour un moment. »

Il s'approcha, confidentiel :

« Vous ignorez tout de nous, petits dieux pleins de suffisance. Notre rage est si patiente! Notre fermeté si lucide! Il est vrai *qu'Il* nous a fait servir ses desseins, car sa parole

1. On cloue à la campagne des chouettes sur les portes des granges pour en écarter les bêtes nocturnes.

est irrésistible. Il est vrai — pourquoi le nierais-je ? — que notre entreprise de cette nuit paraît tourner à ma confusion... (Ah! quand je t'ai pressé tout à l'heure, sa pensée s'est fixée sur toi et ton ange lui-même tremblait dans la giration[1] de l'éclair!) Cependant, tes yeux de boue n'ont rien vu. »

Il s'ébroua dans un rire hennissant :

« Hi! Hi! Hi! De tous ceux que j'ai vus marqués du même signe que toi, tu es le plus lourd, le plus obtus, le plus compact!... Tu creuses ton sillon comme un bœuf, tu bourres sur l'ennemi comme un bouc... De haut en bas, une bonne cible! »

Et toujours l'abbé Donissan, secoué de brusques frissons, le suivait du regard, avec une frayeur muette. Toutefois, quelque chose comme une prière — mais hésitante, confuse, informe — errait dans sa mémoire, sans que sa conscience pût la saisir encore. Et il semblait que son cœur contracté s'échauffait un peu sous ses côtes.

« Nous te travaillerons[2] avec intelligence, poursuivait l'autre. Aie souci de nous nuire. Nous te tarauderons[3] à notre tour. Il n'est pas de rustre dont nous ne sachions tirer parti. Nous te dégraisserons[4]. Nous t'affinerons. »

Il approchait sa tête ronde, toute flambante d'un sang généreux.

« Je t'ai tenu sur ma poitrine; je t'ai bercé dans mes bras. Que de fois encore, tu me dorloteras, croyant presser *l'autre* sur ton cœur! Car tel est ton signe. Tel est sur toi le sceau de ma haine. »

Il mit les deux mains sur ses épaules, le força à plier les genoux, lui fit toucher le sol des genoux... Mais, tout à coup, d'une poussée, le vicaire de Campagne se rua sur lui. Et il ne rencontra que le vide et l'ombre* (**43**).

***

[Donissan évanoui est secouru par un carrier, homme bon et simple qui l'accompagne sur la route du retour. Donissan marche devant lui. Soudain, la prédiction que le maquignon lui a faite en termes voilés se réalise.]

1. *Giration :* le fait de tourner très rapidement; **2.** Comme on *travaille* une pâte, une matière pour l'assouplir et la façonner; **3.** *Tarauder :* creuser en spirale avec un taraud une pièce qui doit recevoir une vis; **4.** Comme on fait d'une pièce de bois qu'on *dégraisse,* c'est-à-dire qu'on amène, par rabotage, exactement aux dimensions voulues.

Était-ce devant lui son compagnon? Il ne le crut pas d'abord. Ce qu'il avait sous les yeux, ce qu'il saisissait du regard, avec une certitude fulgurante, était-ce un homme de chair? A peine si la nuit eût permis de découvrir dans l'ombre la silhouette immobile, et pourtant il avait toujours l'impression de cette lumière douce, égale, vivante, réfléchie dans sa pensée, véritablement souveraine. C'était la première fois que le futur saint de Lumbres[1] assistait au silencieux prodige qui devait lui devenir plus tard si familier, et il semblait que ses sens ne l'acceptaient pas sans lutte. Ainsi l'aveugle-né à qui la lumière se découvre tend vers la chose inconnue ses doigts tremblants, et s'étonne de n'en saisir la forme ni l'épaisseur. Comment le jeune prêtre eût-il été introduit sans lutte à ce nouveau mode de connaissance, inaccessible aux autres hommes? Il voyait devant lui son compagnon, il le voyait à n'en douter pas, bien qu'il ne distinguât point ses traits, qu'il cherchât vainement son visage ou ses mains... Et néanmoins, sans rien craindre, il regardait l'extraordinaire clarté avec une confiance sereine, une fixité calme, non point pour la pénétrer, mais sûr d'être pénétré par elle. Un long temps s'écoula, à ce qu'il lui parut. Réellement, ce ne fut qu'un éclair. Et tout à coup il comprit.

« Ainsi que tu t'es vu toi-même tout à l'heure », avait dit l'affreux témoin. C'était ainsi. Il voyait. Il voyait de ses yeux de chair ce qui reste caché au plus pénétrant — à l'intuition[2] la plus subtile — à la plus ferme éducation : une conscience humaine. Certes, notre propre nature nous est, partiellement, donnée; nous nous connaissons sans doute un peu plus clairement qu'autrui, mais chacun doit *descendre* en soi-même et à mesure qu'il descend les ténèbres s'épaississent jusqu'au tuf[3] obscur, au moi profond, où s'agitent les ombres des ancêtres, où mugit l'instinct, ainsi qu'une eau sous la terre. Et voilà... et voilà que ce misérable prêtre se trouvait soudain transporté au plus intime d'un autre être, sans doute à ce point même où porte le regard du juge. Il avait conscience du prodige, et il était dans le ravissement que ce prodige fût si simple, et sa révélation si douce. Cette effraction[4] de l'âme, qu'un autre que lui n'eût point imaginée

1. Voir p. 51, note 1 ; **2.** Le fait de pénétrer quelque chose par le regard, de le découvrir *immédiatement* et *dans sa totalité;* **3.** *Tuf:* couche sédimentaire calcaire qu'on trouve sous la terre végétale. D'où régions profondes d'un être; **4.** *Effraction :* le fait de s'introduire illégalement quelque part en en brisant l'enceinte.

sans éclairs et sans tonnerre, à présent qu'elle était accomplie, ne l'effrayait plus. Peut-être s'étonnait-il que la révélation en fût venue si tard. Sans pouvoir l'exprimer (car il ne sut l'exprimer jamais), il sentait que cette connaissance était selon sa nature, que l'intelligence et les facultés dont s'enorgueillissent les hommes y avaient peu de part, qu'elle était seulement et simplement l'effervescence, l'expansion, la dilatation de la charité*(**44**). Déjà, incapable de se juger digne d'une grâce singulière, exceptionnelle, dans la sincérité de son humble pensée, il était près de s'accuser d'avoir retardé par sa faute cette initiation, de n'avoir pas encore assez aimé les âmes, puisqu'il les avait méconnues. Car l'entreprise était si simple, au fond, et le but si proche, dès que la route était choisie! L'aveugle, quand il a pris possession du nouveau sens qui lui est rendu, ne s'étonne pas plus de toucher du regard le lointain horizon qu'il n'atteignait jadis qu'avec tant de labeur, à travers les fondrières et les ronces.

[Le carrier le quitte, après l'avoir remis sur son chemin.]

⁂

La route s'ouvrait de nouveau devant lui. Il la reconnut. Il allait vite, très vite. D'abord, il remerciait Dieu, sans une parole, de ce qui lui avait été permis de voir. Il marchait comme environné encore de cette lumière qu'il avait connue. Ce n'était pas la présence, et c'était quelque chose de plus que le souvenir. Ainsi l'on s'écarte d'un chant qui longtemps vous suit.

Hélas! c'était bien l'écho allant s'affaiblissant d'une mystérieuse harmonie, qu'il n'ouïrait plus jamais, jamais! Le prolongement de sa joie dura peu. Chaque pas semblait d'ailleurs l'en éloigner, mais, quand par un geste naïf il s'arrêta, la fuite parut s'en accélérer encore. Il courba le dos, et s'en fut.

Peu à peu le paysage encore indécis à la toute première heure de l'aube lui devenait plus familier. Il le retrouvait avec tristesse. Chaque objet reconnu, des habitudes reprises une à une, rendaient plus incertaine et plus vague la grande aventure de la nuit. Bien plus vite encore qu'il n'eût pensé, elle perdait ses détails et ses contours, reculait dans le rêve. Il traversa ainsi le village de Pomponne, dépassa le hameau de Brême, gravit la dernière côte. Enfin il aperçut au-dessous de lui, dans le creux de la colline, le signal tout à coup si proche, la lumière de la petite gare de Campagne*(**45**).

Il s'arrêta debout, haletant, tête nue, grelottant dans sa soutane raide de boue, ne sachant tout à coup si c'était de froid ou de honte, et les oreilles pleines de rumeur.

A ce moment, la vie quotidienne le reprit avec tant de force, et si brusquement, qu'une minute il ne resta rien, absolument rien dans son esprit d'un passé pourtant si proche. Ce brutal effacement fut surtout ressenti comme une douloureuse diminution de son être.

« Ai-je donc rêvé ? » se dit-il. Ou plutôt il s'efforça de prononcer les syllabes, de les articuler dans le silence. C'était pour faire taire une autre voix qui, beaucoup plus nettement, avec une terrible lenteur, au-dedans de lui, demandait : « Suis-je fou*(**46**) ? »

[Passant près du chemin creux qui mène au château de Cadignan, Donissan surprend Mouchette.]

« Que me voulez-vous ? dit brutalement Mlle Malorthy : est-ce l'heure d'arrêter les gens ? »

Elle riait d'un rire méchant, mais ce rire était menteur, et il le savait bien. Ou, plutôt, peut-être ne l'entendait-il même pas. Car plus haut qu'aucune voix humaine criait vers lui la douleur sans espérance, dont elle était consumée. [...]

« Hein ? vous pensez : elle vient de quitter son amant ; elle rentre avant l'aube ?... Vous ne vous trompez pas tout à fait. »

Ses yeux, à la dérobée, firent le tour de l'horizon. A leur droite, les grands pins de Norvège, au feuillage noir, faisaient une masse sombre et grondante, sur le ciel oriental, déjà pâli. Ce n'était pas la première fois qu'elle entendait leur âpre voix[1].

L'abbé Donissan posa doucement la main sur son épaule, et dit simplement :

« Voulez-vous que nous fassions ensemble un peu de chemin ? »

Il descendit le talus et prit, sans hésiter, la direction du

1. Voir p. 35, lignes 4-6.

hameau de Tiers, tournant le dos au château de Cadignan et au village même. Le chemin se rétrécissant peu à peu, il leur était impossible de marcher de front.

Jamais le petit cœur de Mouchette ne sauta plus fort dans sa poitrine qu'à l'instant où, sans force encore pour résister ou même ruser, elle entendit derrière elle piétiner les gros souliers ferrés. Ils firent ainsi quelques pas, en silence. A chacune de ses larges enjambées, le vicaire de Campagne, marchant littéralement sur ses talons, la forçait à se hâter. Au bout d'un instant cette contrainte parut si insupportable à Mouchette que l'espèce de crainte qui la paralysait tomba. Sautant légèrement sur le talus, elle lui fit signe de passer.

« Vous n'avez rien à craindre, dit l'abbé Donissan, et je ne vous contraindrai pas. Aucune curiosité ne me pousse. Je suis seulement heureux de vous avoir rencontrée aujourd'hui, après tant de jours perdus. Mais il n'est pas trop tard.

— Il est même un peu trop tôt, » répondit Mlle Malorthy, en affectant de contenir un rire aigu. [...]

« Je voulais simplement vous éloigner d'abord, car vous savez bien que le mort que vous attendez ici *n'y est plus.* »

La stupeur de Mouchette ne se marqua que par un grand frisson, qu'elle réprima d'ailleurs à l'instant. Et ce n'était pas la peur qui fit trembler sur ses lèvres les premiers mots qu'elle prononça, presque au hasard :

« Un mort ? Quel mort ? »

Il reprit, avec le même calme, tout en la devançant pour poursuivre son chemin, tandis qu'elle trottait docilement derrière lui :

« Nous sommes mauvais juges en notre propre cause, et nous entretenons souvent l'illusion de certaines fautes, pour mieux nous dérober la vue de ce qui en nous est tout à fait pourri et doit être rejeté à peine de mort.

— Quel mort ? reprit Mouchette. De quel mort parlez-vous ? »

Et elle serrait machinalement le pan de sa soutane, tandis que chaque pas de son compagnon la repoussait, essoufflée et bégayante, sur le bord du talus. Le ridicule de cette poursuite, l'humiliation d'interroger à son tour, d'implorer presque, étaient amers à sa fierté. Mais elle sentait aussi quelque chose comme une joie obscure. Elle parlait encore qu'ils sortirent du chemin, et débouchèrent dans la plaine. Elle reconnut la place aussitôt.

C'était, à deux cents mètres des premières maisons de Trilly, le petit carrefour cerné de haies vives, planté de maigres tilleuls, à la mode ancienne. Au premier dimanche d'août, à la ducasse[1], les forains y installent leurs pauvres boutiques roulantes, et des amateurs y font parfois danser les filles*(**47**).

Ils se trouvèrent de nouveau face à face, comme au premier moment de leur rencontre. La triste aurore errait dans le ciel, et la haute silhouette du vicaire parut à Mlle Malorthy plus haute encore, lorsque, d'un geste souverain, d'une force et d'une douceur inexprimables, il s'avança vers elle et, tenant levée sur sa tête sa manche noire :

« Ne vous étonnez pas de ce que je vais dire : n'y voyez surtout rien de capable d'exciter l'étonnement ou la curiosité de personne. Je ne suis moi-même qu'un pauvre homme. Mais, quand l'esprit de révolte était en vous, j'ai vu le nom de Dieu écrit dans votre cœur. »

Et, baissant le bras, il traça du pouce, sur la poitrine de Mouchette, une double croix.

Elle fit un bond léger en arrière, sans trouver une parole, avec un étonnement stupide. Et quand elle n'entendit plus en elle-même l'écho de cette voix dont la douceur l'avait transpercée, le regard paternel acheva de la confondre. [...]

Le regard que l'homme de Dieu tenait baissé sur Mouchette, à toute autre, peut-être, eût fait plier les genoux. Et il est vrai qu'elle se sentit, pour un moment, hésitante et comme attendrie. Mais alors un secours lui vint — jamais vainement attendu — d'un maître de jour en jour plus attentif et plus dur; rêve jadis à peine distinct d'autres rêves, désir plus âpre à peine, voix entre mille autres voix, à cette heure réelle et vivante; compagnon et bourreau, tour à tour plaintif, languissant, source des larmes, puis pressant, brutal, avide de contraindre, puis encore, à la minute décisive, cruel, féroce, tout entier présent dans un rire douloureux, amer, jadis serviteur, maintenant maître.

Cela jaillit d'elle tout à coup. Une colère aveugle, une rage de défier ce regard, de lui fermer son âme, d'humilier la pitié qu'elle sentait sur elle suspendue, de la flétrir, de la souiller*(**43**). Son élan la jeta, toute frémissante, non pas aux pieds, mais face au juge, dans son silence souverain.

1. *Ducasse :* fête patronale des pays du nord de la France et des Flandres.

Elle ne trouvait d'abord aucun mot; en était-il pour exprimer ce transport sauvage? Elle repassait seulement dans son esprit, mais avec une rapidité et une netteté surhumaine, les déceptions capitales de sa courte vie, comme si la pitié de ce prêtre en était le terme et le couronnement... Elle put articuler enfin, d'une voix presque inintelligible :

« Je vous hais!

— N'ayez pas honte, dit-il.

— Gardez vos conseils, cria Mouchette. (Mais il avait frappé si juste que sa colère en fut comme trompée.) Je ne sais même pas ce que vous voulez dire!

— Assurément, d'autres épreuves vous attendent, continua-t-il, plus rudes... Quel âge avez-vous? » demanda-t-il après un silence.

Depuis un moment le regard de Mouchette trahissait une surprise, déjà déçue. A ce dernier mot, par un violent effort, elle sourit.

« Vous devez le savoir, vous qui savez tant de choses...

— Jusqu'à ce jour vous avez vécu comme une enfant. Qui n'a pas pitié d'un petit enfant? Et ce sont les pères de ce monde! Ah! voyez-vous, Dieu nous assiste jusque dans nos folies. Et, quand l'homme se lève pour le maudire, c'est Lui seul qui soutient cette main débile!

— Un enfant, fit-elle, un enfant! Des enfants de chœur comme moi, vous n'en rencontrerez pas beaucoup dans vos sacristies : ils n'useront pas votre eau bénite. Les chemins où j'ai passé, souhaitez ne les connaître jamais. »

Elle prononça ces derniers mots avec une emphase un peu comique. Il répondit tranquillement :

« Qu'avez-vous donc trouvé dans le péché qui valût tant de peine et de tracas? Si la recherche et la possession du mal comporte quelque horrible joie, soyez bien sûre qu'un autre l'exprima pour lui seul, et le but jusqu'à la lie. »

L'abbé Donissan fit encore un pas vers elle. Rien dans son attitude n'exprimait une émotion excessive, ni le désir d'étonner. Et pourtant les paroles qu'il prononça clouèrent Mouchette sur place, et retentirent dans son cœur.

« Laissez cette pensée, dit-il. Vous n'êtes point devant Dieu coupable de ce meurtre. Pas plus qu'en ce moment-ci votre volonté n'était libre. Vous êtes comme un jouet, vous êtes comme la petite balle d'un enfant, entre les mains de Satan. »

Il ne lui laissa pas le temps de répondre et d'ailleurs elle ne trouvait pas un mot. Il l'entraînait déjà, tout en parlant, sur la route de Desvres, à grands pas, dans les champs déserts. Elle le suivait. Elle devait le suivre. Il parlait, comme il n'avait jamais parlé, comme il ne parlerait plus jamais, même à Lumbres et dans la plénitude de ses dons, car elle était sa première proie. Ce qu'elle entendait, ce n'était pas l'arrêt du juge, ni rien qui passât son entendement de petite bête obscure et farouche, mais avec une terrible douceur, sa propre histoire, l'histoire de Mouchette non point dramatisée par le metteur en scène, enrichie de détails rares et singuliers — mais résumée au contraire, réduite à rien, vue du dedans. Que le péché qui nous dévore laisse à la vie peu de substance ! Ce qu'elle voyait se consumer au feu de la parole, c'était elle-même, ne dérobant rien à la flamme droite et aiguë, suivie jusqu'au dernier détour, à la dernière fibre de chair. A mesure que s'élevait ou s'abaissait la voix formidable, reçue dans les entrailles, elle sentait croître ou décroître la chaleur de sa vie, cette voix d'abord distincte, avec les mots de tous les jours, que sa terreur accueillait comme un visage ami dans un effrayant rêve, puis de plus en plus confondue avec le témoignage intérieur, le murmure déchirant de la conscience troublée dans sa source profonde, tellement que les deux voix ne faisaient plus qu'une plainte unique, comme un seul jet de sang vermeil.

Mais quand il fit silence, elle se sentir vivre encore.

. . . .

Ce silence se prolongea longtemps, ou du moins un temps impossible à mesurer, indiscernable. Puis la voix — mais venue de si loin ! — parvint de nouveau à ses oreilles.

« Remettez-vous, disait-elle. N'abusez pas de vos forces. Vous en avez assez dit.

— Assez dit ? Qu'ai-je dit ? Je n'ai rien dit.

— Nous avons parlé, reprit la voix. Et même nous avons parlé longtemps. Voyez comme le ciel s'éclaircit : la nuit s'achève.

— Ai-je parlé ? » répéta-t-elle, d'un ton suppliant.

Et tout à coup (ainsi qu'au réveil surgit de la mémoire, avec une brutale évidence, l'acte accompli) :

« J'ai parlé ! s'écria-t-elle. J'ai parlé ! »

Dans le gris de l'aube, elle reconnut le visage du vicaire

de Campagne. Il exprimait une lassitude infinie. Et ses yeux, où la flamme s'était à présent effacée, semblaient comme rassasiés de la vision mystérieuse.

Elle se sentait si faible, si désarmée qu'elle n'aurait pu faire alors un pas, semblait-il, ni pour le joindre, ni pour l'éviter. Elle hésita.

« Cela est-il possible ? dit-elle encore... De quel droit ?...

— Je n'ai aucun droit sur vous, répondit-il avec douceur. Si Dieu...

— Dieu ! commença-t-elle... » Mais il lui fut impossible d'achever. L'esprit de révolte était en elle comme engourdi.

« Comme vous vous débattez dans Sa main, fit-il tristement. Lui échapperez-vous de nouveau ? Je ne sais... »

D'une voix très humble, après un nouveau silence, il ajouta :

« ÉPARGNEZ-MOI, MA FILLE*(**49**) ! » [...]

Elle recula de quelques pas, le dévisagea longuement, ardemment, les sourcils froncés, le front bas, et soudain :

« J'ai tout avoué ! dit-elle. Vous savez tout ! »

Mais, se reprenant aussitôt :

« Et quand cela serait ? Je ne crains rien. Que m'importe ?... Mais dites-moi... Ah ! dites-moi, qu'avez-vous fait ? Ai-je vraiment parlé en songe ? »

Dans son extrême épuisement, sa curiosité indomptable la jetait déjà vers une nouvelle aventure. Le sang montait à ses joues. Ses yeux retrouvaient leur flamme sombre. Et lui, il la contemplait avec pitié, ou peut-être avec mépris.

Car, à sa grande surprise, la vision s'était effacée, anéantie. Le souvenir en était trop vif, trop précis pour qu'il doutât. Les paroles échangées sonnaient encore à ses oreilles. Mais les ténèbres étaient retombées. Pourquoi n'obéit-il pas alors au mouvement intérieur qui lui commandait de se dérober sans retard ? Devant lui, ce n'était qu'une pauvre créature reformant en hâte la trame un instant déchirée de ses mensonges... Mais n'avait-il pas été une minute — une éternité ! — par un effort presque divin, affranchi de sa propre nature ? Fut-ce le désespoir de cette puissance perdue ? Ou la rage de la reconquérir ? Ou la colère de retrouver rebelle la misérable enfant tout à l'heure à sa merci ? Il eut un geste des épaules, d'une énorme brutalité.

« Je t'ai vue ! (A ce tu, elle frémit de rage.) Je t'ai vue comme peut-être aucune créature telle que toi ne fut vue ici-bas! Je t'ai vue de telle manière que tu ne peux m'échapper, avec toute ta ruse. Penses-tu que ton péché me fasse horreur? A peine as-tu plus offensé Dieu que les bêtes. Tu n'as porté que de faux crimes, comme tu n'as porté qu'un fœtus. Cherche! Remue ton limon : le vice dont tu te fais honneur y a pourri depuis longtemps, à chaque heure du jour ton cœur se crevait de dégoût. De toi, tu n'as tiré que de vains rêves, toujours déçus. Tu crois avoir tué un homme... Pauvre fille! tu l'as délivré de toi. Tu as détruit de tes mains l'unique instrument possible de ton abominable libération. Et, quelques semaines après, tu rampais aux pieds d'un autre qui ne le valait pas. Celui-là t'a mis la face contre terre. Tu le méprises et il te craint. Mais tu ne peux lui échapper.

— ...Je ne puis... lui... échapper », bégaya Mouchette. Sa terreur et sa rage étaient telles que sur son visage, d'une excessive mobilité, à présent durci, se peignit comme une sérénité sinistre.

« Je sais que je le puis, dit-elle enfin. Quand je le voudrai. On m'a crue folle : qu'ai-je fait pour les détromper tous? J'attendais d'être prête, voilà tout. »

Il appuya si violemment la main sur son épaule qu'elle chancela.

« Tu ne seras jamais prête. Tu ne dérobes à Dieu que le pire : la boue dont tu es faite, Satan! Te crois-tu libre? Tu ne l'aurais été qu'en Dieu. Ta vie... »

Il respira profondément, pareil à un lutteur qui va donner son effort. Et déjà montait dans ses yeux la même lueur de lucidité surhumaine, cette fois dépouillée de toute pitié. Le don périlleux, il l'avait donc conquis de nouveau, par force, dans un élan désespéré, capable de faire violence, même au ciel. La grâce de Dieu s'était faite visible à ses yeux mortels : ils ne découvraient plus maintenant que l'ennemi, vautré dans sa proie. Et déjà aussi la pâle figure de Mouchette, comme rétrécie par l'angoisse, chavirait dans le même rêve, dont leur double regard échangeait le reflet hideux.

« Ta vie répète d'autres vies, toutes pareilles, vécues à plat, juste au niveau des mangeoires où votre bétail mange son grain. Oui! chacun de tes actes est le signe d'un de ceux-là dont tu sors, lâches avares, luxurieux et menteurs. Je les vois. Dieu m'accorde de les voir. C'est vrai que je t'ai vue en eux et eux en toi. Oh ! que notre place est ici-bas dangereuse et petite ! que notre chemin est étroit ! »

Et il commença de tenir des propos plus singuliers encore, mais en baissant la voix, avec une grande simplicité.

Comment les rapporterait-on ici ? C'était encore l'histoire de Mouchette, merveilleusement confondue avec d'autres vieilles histoires oubliées depuis longtemps, à moins qu'elles n'eussent été jamais connues. Avant qu'elle en comprît le sens, Mouchette sentit son cœur se serrer, comme à une brusque descente et cette surprise qui fait hésiter le plus étourdi, au seuil d'une demeure profonde et secrète. Puis ce fut des noms entendus, familiers, ou seulement pleins d'un souvenir vague, de plus en plus nombreux, s'éclairant l'un par l'autre, jusqu'à ce que la trame même du récit apparût en dessous. Humbles faits de la vie quotidienne, sans aucun éclat, pris dans la malice la plus commune — comme des cailloux dans leur gaine de boue, — mornes secrets, mornes mensonges, mornes radotages du vice, mornes aventures qu'un nom soudain prononcé illuminait comme un phare, puis retombant dans des ténèbres où l'esprit n'eût rien distingué encore mais qu'une espèce d'horreur sacrée dénonçait comme un grouillement de vies obscures.

[...] Elle ne distinguait plus la voix impitoyable de sa propre révélation intérieure, mille fois plus riche et plus ample. D'ailleurs plus rapides qu'aucune parole humaine, ces fantômes innombrables qui se levaient de toutes parts n'eussent pu seulement être nommés ; pourtant, comme à travers un orage de sons monte la dominante irrésistible, une volonté active et claire achevait d'organiser ce chaos. En vain Mouchette, dans un geste de défense naïve, levait vers l'ennemi ses petites mains. Tandis qu'un autre songe, sitôt fixé de sang-froid, se dérobe et se disperse, celui-ci se rapprochait d'elle, ainsi qu'une troupe qui se rassemble pour charger. La foule, un instant plus tôt si grouillante, où elle avait reconnu tous les siens, se rétrécissait à mesure. Des visages se superposaient entre eux, ne faisaient plus qu'un visage, qui était celui même d'un vice. Des gestes confus se fixaient dans une attitude unique, qui était le geste du crime. Plus encore : parfois le mal ne laissait de sa proie qu'un amas informe, en pleine dissolution, gonflé de son venin, digéré. Les avares faisaient une masse d'or vivant, les luxurieux un tas d'entrailles. Partout le péché crevait son enveloppe, laissait voir le mystère de sa génération : des dizaines d'hommes et de femmes liés dans les fibres du même cancer, et les affreux liens se rétractant, pareils aux bras coupés d'un poulpe, jusqu'au noyau du monstre même, la faute initiale, ignorée de tous, dans un cœur d'enfant... Et, soudain, Mouchette se vit comme elle ne s'était jamais vue, pas même à ce moment où elle avait senti se briser son orgueil : quelque chose fléchit en elle d'un plus irréparable fléchissement, puis s'enfonça d'une fuite obscure. La voix, toujours basse, mais d'un trait vif et brûlant, l'avait comme dépouillée, fibre à fibre. Elle doutait d'être, d'avoir été. Toute abstraction, dans son esprit, prend une forme, et peut être serrée sur la poitrine ou repoussée. Que dire de ce fléchissement de la conscience même! Elle s'était reconnue dans les siens et, au paroxysme du délire, ne se distinguait plus du troupeau. Quoi! pas un acte de sa vie qui n'eût ailleurs son double? Pas une pensée qui lui appartînt en propre, pas un geste qui ne fût dès longtemps tracé? Non point semblables, mais les mêmes! Non point répétés, mais uniques. Sans qu'elle pût retracer en paroles intelligibles aucune des évidences qui achevaient de la détruire, elle sentait dans sa misérable petite vie l'immense duperie, le rire immense du dupeur. Chacun de ces ancêtres dérisoires, d'une monotone ignominie, ayant reconnu et flairé en elle son bien, venait le prendre; elle abandonnait tout. Elle livrait tout et c'était comme si ce troupeau était venu manger dans sa main sa propre vie. Que leur disputer? Que reprendre? Ils avaient jusqu'à sa révolte même[1].

Alors elle se dressa, battant l'air de ses mains, la tête jetée en arrière, puis d'une épaule à l'autre, absolument comme un noyé qui s'enfonce. La sueur ruisselait sur son visage, ainsi qu'un torrent de larmes, tandis que ses yeux, que dévorait la vision intérieure, n'offraient au vicaire de Campagne qu'un métal refroidi. Aucun cri ne sortait de ses lèvres, bien qu'il parût vibrer dans sa gorge muette. Ce cri, qu'on n'entendait pas, imposait pourtant sa forme à la bouche contractée, au col ployé, aux maigres épaules, aux reins creusés, au corps tout entier comme tiré en haut pour un appel désespéré... Enfin elle s'enfuit.

[...] Elle se retrouve couchée à plat ventre au pied de

1. Voir sur ce passage la Notice p. 13.

son lit. L'édredon a glissé par-dessous et elle y a enfoncé ses crocs, en sorte que sa bouche est pleine de duvet. Rien ne trouble plus le silence, et elle s'avise tout à coup qu'elle n'a crié qu'en songe. A présent, de toutes les forces qui lui restent, elle repousse, elle refoule un nouveau cri. Car, en un éclair, elle s'est vue reconduite à l'hospice, la porte refermée sur elle, cette fois décidément folle — folle à ses propres yeux — de son aveu même... D'abord elle gémit à petits coups, puis se tut.

Parfois, lorsque l'âme même fléchit dans son enveloppe de chair, le plus vil souhaite le miracle et, s'il ne sait prier, d'instinct au moins, comme une bouche à l'air respirable, s'ouvre à Dieu. Mais c'est en vain que la misérable fille userait, à résoudre l'énigme qu'elle se propose, ce qui lui reste de vie. Comment s'élèverait-elle par ses propres forces à la hauteur où l'a portée tout à coup l'homme de Dieu, et d'où elle est présentement retombée ? De la lumière qui l'a percée de part en part — pauvre petit animal obscur — il ne reste que sa douleur inconnue, dont elle mourrait sans la comprendre. Elle se débat, l'arme éblouissante en plein cœur, et la main qui l'a poussée ne connaît pas sa cruauté. [...]

Deux longues heures, tantôt reployée sur elle-même, sans mouvement, tantôt se tordant à terre dans une rage convulsive et muette, puis encore assommée d'un affreux sommeil, elle crut vraiment perdre la raison, descendre une à une les marches noires. Son destin se retraçait ligne par ligne : elle en parcourait les étapes. C'était comme une suite de tableaux fulgurants. Elle en comptait les personnages imaginaires, elle scrutait leurs visages, entendait leurs voix. A chaque image recherchée, suscitée, volontairement épuisée, elle sentait littéralement frémir ses sens et sa raison, ainsi qu'un frêle navire dans le vent; toujours sa douleur lucide reprenait le dessus. Elle en était à soulever délibérément en elle les puissances de désordre, appelant la folie ainsi que d'autres appellent la mort. Mais par un instinct profond à peine conscient elle s'interdisait la seule manifestation extérieure qui risquât de briser ses forces : elle ne poussait aucun cri, elle étouffait même sa plainte : un seul témoin de son délire, et c'était assez pour qu'elle perdît pied. Cela elle le savait : elle n'appelait point. A mesure que la résistance intérieure, en dépit d'elle-même, s'affermissait, ses gestes devenaient une agitation factice, sa rage s'exténuait par sa violence même. Elle redevenait par degrés spectatrice de sa propre folie. Quand elle se vit de nouveau respirant fortement ainsi qu'au retour d'un grand rêve, un calme affreux rétabli dans son âme, sa déception fut totale, absolue. C'était comme la chute brusque du vent, sur une mer démontée, dans une nuit noire.

La même chose ignorée lui manquait toujours, manquait à sa vie. Mais quoi ? Mais laquelle ? Vainement elle essuyait ses joues déchirées à coups d'ongle, ses lèvres mordues ; vainement elle regardait à travers les vitres la lumière de l'aube ; vainement elle répétait de sa triste voix sans timbre : « C'est fini... c'est fini !... » La vérité lui apparaissait ; l'évidence serrait son cœur ; même la folie lui refusait son asile ténébreux. [...]

C'est alors qu'elle appela — du plus profond, du plus intime — d'un appel qui était comme un don d'elle-même, Satan. [...]

Il vint, aussitôt, tout à coup, sans nul débat, effroyablement paisible et sûr. Si loin qu'il pousse la ressemblance de Dieu, aucune joie ne saurait procéder de lui, mais, bien supérieure aux voluptés qui n'émeuvent que les entrailles, son chef-d'œuvre est une paix muette, solitaire, glacée, comparable à la délectation du néant. Quand ce don est offert et reçu, l'ange qui nous garde détourne avec stupeur sa face.

Il vint et, sitôt venu, l'agitation de Mouchette cessa par miracle, son cœur battit lentement, la chaleur revint par degrés, son corps et son âme ne furent qu'attente ferme et calculée — sans impatience inutile — d'un événement désormais certain. Presque en même temps, son cerveau l'imagina, le réalisa pleinement. Et elle comprit que l'heure était venue de se tuer, sans aucun délai surtout ! *à l'instant même*.

Avant que ses membres n'eussent fait un mouvement, son esprit fuyait déjà sur la route de la délivrance. Après lui elle s'y jeta. Chose étrange : son regard seul restait trouble et hésitant. Toute sa vie sensible était à l'extrémité de ses doigts, dans la paume de ses mains agiles. Elle ouvrit la porte sans faire crier l'huis, poussa celle de la chambre de son père (à cette heure toujours vide), prit le rasoir à sa place ordinaire, l'ouvrit tout grand. Déjà elle était de nouveau chez elle, face à la glace, dressée sur la pointe de ses petits pieds, le menton jeté en arrière, sa gorge tendue, offerte... Quelle que fût son envie, elle n'y jeta pas la lame, elle l'y appliqua férocement, consciemment et l'entendit grincer dans sa chair. Son dernier souvenir fut le jet de sang tiède sur sa main et jusqu'au pli de son bras*(**50**).

IV

[Donissan vient rendre compte à son curé de son étrange nuit. Il rapporte d'abord la rencontre infernale et la grâce miraculeuse accordée; il raconte également l'aveu de Mouchette. Menou-Segrais a confiance en lui, mais doit aussi la vérité à ses supérieurs et craint leur scepticisme.]

« Prenez d'abord note de ceci : pour tout le monde vous n'êtes désormais (jusqu'à quand?) qu'un petit abbé plein d'imagination et de suffisance, moitié rêveur, moitié menteur, ou un fou. Subissez donc la pénitence qui vous sera sûrement imposée, le silence et l'oubli temporaire du cloître, non pas comme un châtiment injuste, mais nécessaire et justifié... M'avez-vous compris encore ? »

Même regard et même signe.

« Sachez-le, mon enfant. Depuis des mois je vous observe, sans doute avec trop de prudence, d'hésitation. Cependant j'ai vu clair, dès le premier jour. Certaines grâces vous sont prodiguées comme avec excès, sans mesure : c'est apparemment que vous êtes exceptionnellement tenté. L'Esprit-Saint est magnifique, mais ses libéralités ne sont jamais vaines : il les proportionne à nos besoins. Pour moi, ce signe ne peut tromper : le diable est entré dans votre vie. »

L'abbé Donissan se tut encore.

« Ah! mon petit enfant! Les nigauds ferment les yeux sur ces choses! Tel prêtre n'ose seulement prononcer le nom du diable. Que font-ils de la vie intérieure ? Le morne champ de bataille des instincts. De la morale? Une hygiène des sens. La grâce n'est plus qu'un raisonnement juste qui sollicite l'intelligence, la tentation un appétit charnel qui tend à la suborner*(**51**). A peine rendent-ils ainsi compte des épisodes les plus vulgaires du grand combat livré en nous. L'homme est censé ne rechercher que l'agréable et l'utile, la conscience guidant son choix. Bon pour l'homme abstrait des livres, cet homme moyen rencontré nulle part! De tels enfantillages n'expliquent rien. Dans un pareil univers d'animaux sensibles et raisonneurs il n'y a plus rien pour le saint, ou il faut le convaincre de folie. On n'y manque pas, c'est entendu. Mais le problème n'est pas résolu pour si peu. Chacun de nous — ah! puissiez-vous retenir ces paroles d'un vieil ami! — est tour à tour, de quelque manière, un criminel ou un saint, tantôt porté vers le bien, non par une judicieuse approximation de ses avantages, mais clairement et singulièrement par un élan de tout l'être, une effusion d'amour qui fait de la souffrance et du renoncement l'objet même du désir, tantôt tourmenté du goût mystérieux de l'avilissement, de la délectation au goût de cendre, le vertige de l'animalité, son incompréhensible nostalgie. Hé ! qu'importe l'expérience, accumulée depuis des siècles, de la vie morale. Qu'importe l'exemple de tant de misérables pécheurs, et de leur détresse! Oui, mon enfant, souvenez-vous. Le mal, comme le bien, est aimé pour lui-même et servi. »

La voix naturellement faible du doyen de Campagne s'était assourdie peu à peu, en sorte qu'il semblait depuis un moment parler pour lui seul. Il n'en était rien pourtant. Son regard, sous les paupières à demi baissées, ne quittait point le visage de l'abbé Donissan. Jusqu'alors ce visage était resté en apparence impassible. A ces derniers mots, cette impassibilité se dissipa soudain, et ce fut comme un masque qui tombe.

« Faut-il donc croire!... s'écria-t-il. Sommes-nous vraiment si malheureux! »

Il n'acheva pas la phrase commencée, il ne l'appuya d'aucun geste; une détresse infinie, bien au-delà sans doute d'aucun langage, s'exprima si douloureusement par cette protestation bégayante, la résignation désespérée de ses yeux pleins d'ombre, que M. Menou-Segrais lui ouvrit, presque involontairement, les bras. Il s'y jeta.

A présent, il était à genoux contre le haut fauteuil capitonné, sa rude tête aux cheveux courts naïvement jetée sur la poitrine de son ami... Mais d'un commun accord, leur étreinte fut brève. Le vicaire reprit simplement l'attitude d'un pénitent aux pieds de son confesseur. L'émotion du doyen se marqua seulement au léger tremblement de sa main droite dont il le bénit.

« Ces paroles vous scandalisent, mon enfant. Puissent-elles aussi vous armer! Il n'est que trop sûr : votre vocation n'est pas du cloître. »

Il eut un sourire triste, vite réprimé.

« La retraite qu'on vous imposera bientôt sera sans nul doute un temps d'épreuve et de déréliction[1] très amère. Il se prolongera plus que vous ne pensez, n'en doutez pas. »

D'un regard paternel, non sans un rien d'ironie très douce, il considéra longuement le visage penché.

« Vous n'êtes point né pour plaire, car vous savez ce que le monde hait le mieux, d'une haine perspicace, savante : le sens et le goût de la force. Ils ne vous lâcheront pas de sitôt.

[...] Je ne connais pas la fille de M. Malorthy. Je ne sais rien du crime dont vous la pensez coupable. A nos yeux le problème se pose autrement. Criminelle ou non, cette petite fille a-t-elle été l'objet d'une grâce exceptionnelle? Avez-vous été l'instrument de cette grâce? Comprenez-moi... Comprenez-moi!... A chaque instant, il peut nous être inspiré le mot nécessaire, l'intervention infaillible — celle-là — pas une autre. C'est alors que nous assistons à de véritables résurrections de la conscience. Une parole, un regard, une pression de la main, et telle volonté jusqu'alors infléchissable s'écroule tout à coup. Pauvres sots qui nous imaginons que la direction spirituelle obéit aux lois ordinaires des confidences humaines, même sincères! Sans cesse nos plans se trouvent bouleversés, nos meilleures raisons réduites à rien, nos faibles moyens retournés contre nous. Entre le prêtre et le pénitent, il y a toujours un troisième acteur invisible qui parfois se tait, parfois murmure, et tout soudain parle en maître. Notre rôle est souvent tellement passif! Aucune vanité, aucune suffisance, aucune expérience ne résiste à ça! Comment donc imaginer, sans un certain serrement de cœur, que ce même témoin, capable de se servir de nous sans nous rendre nul compte, nous associe plus étroitement à son action ineffable? S'il en a été ainsi pour vous, c'est qu'il vous éprouve, et cette épreuve sera rude, si rude qu'elle peut bouleverser votre vie.

— Je le sais, balbutia le pauvre prêtre. Ah! que vos paroles me font mal!

1. *Déréliction* (terme de la langue théologique); c'est le sentiment qu'on est abandonné de Dieu; il constitue un des moments de l'ascèse mystique.

— Vous le savez? interrogea l'abbé Menou-Segrais. De quelle manière? »

L'abbé Donissan se cacha le visage dans ses mains, puis, comme honteux d'un premier mouvement, il reprit, la tête droite, les yeux sur le pâle jour du dehors :

« Dieu m'a inspiré cette pensée qu'il me marquait ainsi ma vocation, que je devrais poursuivre Satan dans les âmes, et que j'y compromettrais infailliblement mon repos, mon honneur sacerdotal, et mon salut même.

— N'en croyez rien, répliqua vivement le curé de Campagne. On ne compromet son salut qu'en s'agitant hors de sa voie. Là où Dieu nous suit, la paix peut nous être ôtée, non la grâce.

— Votre illusion est grande, répondit l'abbé Donissan avec calme, sans paraître s'apercevoir combien de telles paroles étaient éloignées de son ton habituel de déférence et d'humilité. Je ne puis douter de la volonté qui me presse, ni du sort qui m'attend. [...]

— De quelle manière avez-vous réalisé dans votre vie des sentiments dont le moins qu'on puisse dire est qu'ils sont troubles et dangereux? »

Le jeune prêtre se tut.

« Je vous mettrai donc sur la voie, reprit M. Menou-Segrais. Vous commençâtes par des mortifications excessives. Puis vous vous êtes jeté dans le ministère[1] avec une égale frénésie. Les résultats que vous obteniez réjouissaient votre cœur. Ils eussent dû vous rendre la paix. Cependant vous ne la connaissiez pas encore! Dieu ne la refuse jamais au bon serviteur, à la limite de ses forces. L'auriez-vous donc, délibérément, refusée?

— Je ne l'ai pas refusée, répliqua l'abbé Donissan, avec effort. Je suis plutôt disposé par la nature à la tristesse qu'à la joie... »

Il parut réfléchir un instant, chercher à sa pensée une expression modérée, conciliante, puis, se décidant tout à coup, d'une voix que la passion assourdissait plutôt, comparable à une flamme sombre :

« Ah! plutôt le désespoir, s'écria-t-il, et tous ses tourments qu'une lâche complaisance pour les œuvres de Satan! »

A sa grande surprise, car il avait laissé échapper ce souhait

1. Le service des âmes de sa paroisse.

comme un cri, et l'avait entendu avec une espèce d'effroi, le doyen de Campagne lui prit les deux mains dans les siennes et dit doucement :

« C'en est assez : je lis clairement en vous : je ne m'étais pas trompé. Non seulement vous n'avez pas sollicité de consolation, mais vous avez entretenu votre esprit de tout ce qui était capable de vous pousser au désespoir. Vous avez entretenu le désespoir en vous.

— Non pas le désespoir, s'écria-t-il, mais la crainte.

— Le désespoir, répéta l'abbé Menou-Segrais sur le même ton, et qui vous eût conduit de la haine aveugle du péché au mépris et à la haine du pécheur. »

A ces mots, l'abbé Donissan, s'arrachant à l'étreinte du doyen de Campagne, et les yeux soudain pleins de larmes :

« La haine du pécheur! s'écria-t-il d'une voix rauque (la pitié de son regard avait quelque chose de farouche). La haine du pécheur! »

La violence et le désordre de ses sentiments arrêtèrent la parole sur ses lèvres, et ce ne fut qu'après un long silence qu'il ajouta, les yeux sur une vision mystérieuse :

« J'ai disposé d'un bien autrement précieux que la vie... »

Alors la voix du doyen de Campagne retentit dans le nouveau silence, ferme, claire, impossible à éluder :

« Je n'ai jamais douté qu'il y eût dans votre vie intérieure un secret, mieux gardé par votre ignorance et votre bonne foi que par n'importe quelle duplicité. Il y a quelque imprudence consommée. Je ne serais pas surpris que vous ayez formé quelque vœu dangereux...

— Je n'aurais pu former aucun vœu sans la permission de mon confesseur, balbutia le pauvre prêtre.

— Si ce n'est un vœu, c'est quelque chose qui lui ressemble », répliqua l'abbé Menou-Segrais.

Puis, se dressant péniblement hors de ses oreillers, les deux mains posées sur ses genoux, sans élever le ton :

« Je vous l'ordonne, mon enfant. »

Au grand étonnement du doyen, son vicaire hésita longtemps, le regard dur. Puis avec un frisson douloureux :

« Il est vrai, je vous assure... Je n'ai fait aucun vœu, aucune promesse, à peine un souhait... peut-être... sans doute mal justifié, au moins selon la prudence humaine...

— Il empoisonne votre cœur, » répliqua l'abbé Menou-Segrais.

Alors, secouant la tête et prenant parti :

« Voilà peut-être ce qui mérite vos reproches... La possession[1] de tant d'âmes par le péché... m'a souvent transporté de haine contre l'ennemi... Pour leur salut, j'ai offert tout ce que j'avais ou posséderai jamais... ma vie d'abord — cela est si peu de chose!... — les consolations de l'Esprit-Saint... »

Il hésita encore :

« Mon salut, si Dieu le veut! » fit-il à voix basse.

L'aveu fut reçu dans un profond silence. Les paroles extraordinaires parurent créer ce silence, s'y perdre d'elles-mêmes.

Alors l'abbé Menou-Segrais parla de nouveau :

« Avant de continuer, fit-il avec sa simplicité ordinaire, renoncez à cette pensée à jamais, et priez Dieu de vous pardonner. De plus, je vous interdis de parler de ces choses à un autre que moi. »

Puis, comme l'abbé ouvrait la bouche pour répondre, le magistral clinicien[2] des âmes, toujours ferme dans sa prudence et son bon sens souverain :

« Gardez-vous d'insister, fit-il. Taisez-vous. Il ne s'agit plus que d'oublier. Je sais tout. L'entreprise a été irréprochablement conçue et réalisée de point en point. Le démon ne trompe pas autrement ceux qui vous ressemblent. S'il ne savait abuser des dons de Dieu, il ne serait rien de plus qu'un cri de haine dans l'abîme, auquel aucun écho ne répondrait... »

Bien que sa voix ne décelât aucune excessive émotion, cette dernière se marqua pourtant à ce signe que l'abbé Menou-Segrais prit sa canne au pied du fauteuil, se leva, et fit quelques pas dans sa chambre. Son vicaire demeurait debout, à la même place.

« Mon petit enfant, dit le vieux prêtre, que de périls vous attendent! Le Seigneur vous appelle à la perfection, non pas au repos. Vous serez de tous le moins assuré dans votre voie, clairvoyant seulement pour autrui, passant de la lumière aux ténèbres, instable. L'offre téméraire a été, en quelque manière, entendue. L'espérance est presque morte en vous, à jamais. Il n'en reste que cette dernière lueur sans quoi toute œuvre deviendrait impossible et tout mérite vain. Ce dénuement de l'espérance, voilà ce qui importe.

1. Au sens fort de possession démoniaque; **2.** *Clinicien :* médecin qui *diagnostique* une maladie.

Le reste n'est rien. Sur la route que vous avez choisie — non! où vous vous êtes jeté! — vous serez seul, décidément seul, vous marcherez seul. Quiconque vous y suivrait, se perdrait sans vous secourir. »

[L'abbé Menou-Segrais exprime encore ses doutes sur le caractère de la grâce qui semble avoir touché Germaine Malorthy : « ... ce signe est équivoque... le miracle même n'est pas pur! »]

L'abbé Donissan sortit enfin de son silence. Loin de le confondre, ce dernier doute exprimé lui rendait visiblement courage. Il objecta timidement :

« Je ne désire rien tant que l'oubli, l'effacement, la vie commune, mes devoirs d'état. Si vous le vouliez, qui m'empêcherait de redevenir ce que j'étais avant? Qui se soucierait de moi? Je n'attire l'attention de personne. J'ai la réputation que je mérite d'un prêtre bien simple, bien borné... Ah! si vous le permettiez, il me semble que j'arriverais à passer inaperçu, même du bon Dieu et de ses anges!

— Inaperçu! » s'écria doucement l'abbé Menou-Segrais (il souriait, mais avec des yeux pleins de larmes...). Toutefois il s'interrompit aussitôt. L'escalier retentissait du pas singulièrement précipité de la gouvernante. La porte s'ouvrit presque aussitôt, et, très pâle, avec cette hâte des vieilles femmes à annoncer les mauvaises nouvelles :

« Mlle Malorthy vient de se périr, » dit-elle.

Et, déjà satisfaite de l'effet produit, elle ajouta :

« Elle s'a ouvert la gorge avec un rasoir... »

On lira ci-dessous la lettre de Monseigneur au chanoine Gerbier :

« MON CHER CHANOINE,

« J'ai des remerciements à vous faire pour le sang-froid, l'intelligence et le zèle dont vous avez fait preuve au cours de certains événements bien douloureux à mon cœur paternel. Le malheureux abbé Donissan a quitté cette semaine la maison de santé de Vaubecourt[1], où il a été traité avec le plus grand dévouement par le docteur Jolibois. Ce praticien,

1. *Vaubecourt :* Chef-lieu de canton de la Meuse, à 18 km de Bar-le-Duc.

élève du docteur Bernheim de Nancy, m'a entretenu hier du présent état de santé de notre cher enfant. Il a témoigné de cette largeur de vues et de cette tendre sollicitude que j'ai eu l'occasion d'admirer déjà bien souvent chez les hommes de science que leurs études ont malheureusement détournés de la foi. Il attribue ces troubles passagers à une grave intoxication des cellules nerveuses, probablement d'origine intestinale.

« Sans manquer à la charité, qui doit être notre règle constante, je déplore avec vous la négligence, pour ne pas dire plus, de M. le doyen de Campagne. En agissant nettement et vigoureusement, il nous eût sans doute évité de paraître momentanément en conflit avec les autorités civiles. Toutefois, grâce à votre judicieuse intervention et après un premier malentendu, vite dissipé, M. le docteur Gallet a usé vis-à-vis de nous de la plus haute courtoisie en nous aidant à limiter le scandale. Par ailleurs, son diagnostic a été confirmé par son éminent confrère de Vaubecourt. Ces deux traits font autant d'honneur à son caractère qu'à ses connaissances professionnelles.

« Le témoignage de Mlle Malorthy, les confidences faites en pleine démence, ou dans la période de pré-agonie, n'eussent pas suffi sans doute à compromettre, dans la personne de M. Donissan, la dignité de notre ministère. Mais sa présence au chevet de la mourante, en dépit de la protestation formelle de M. Malorthy, ne devait être en aucun cas tolérée par M. le doyen de Campagne. J'accorde que ce qui a suivi ne pouvait être prévu d'un homme sensé. Le désir de cette jeune personne, manifesté publiquement, d'être conduite au pied de l'église pour y expirer, ne devait pas être pris en considération. Outre que le père et le médecin traitant s'opposaient à une telle imprudence, ce qu'on sait du passé et de l'indifférence religieuse de Mlle Malorthy autorisait à croire que, déjà soignée jadis pour troubles mentaux, l'approche de la mort bouleversait sa faible raison. Que dire de l'altercation qui a suivi ! Des étranges paroles prononcées par le malheureux vicaire ! Que dire surtout du véritable rapt commis par lui, lorsque, arrachant la malade aux mains paternelles, il l'a portée tout ensanglantée et moribonde à l'église, heureusement voisine ! De tels excès sont d'un autre âge, et ne se qualifient point.

« Grâce au ciel, le scandale a heureusement pris fin. De bonnes âmes, plus zélées que sages, attiraient déjà l'attention sur cette conversion *in articulo mortis*[1], dont l'invraisemblance nous eût couverts de ridicule. J'y ai mis bon ordre. Notre solution a contenté tout le monde. A l'exception sans doute de M. le doyen de Campagne qui, en se renfermant dans un silence dédaigneux, et en nous refusant son témoignage, s'est montré, pour le moins, singulier.

« Sur mes instructions, M. l'abbé Donissan est entré à la Trappe de Tortefontaine. Il y restera jusqu'à confirmation de sa guérison. J'accorde que sa parfaite docilité plaide en sa faveur, et qu'il y a lieu d'espérer que nous pourrons un jour, ces faits regrettables tombés dans l'oubli, lui trouver dans le diocèse un petit emploi, en rapport avec ses capacités*(**52**). »

Cinq ans plus tard, en effet, l'ancien vicaire de Campagne était nommé curé desservant d'une petite paroisse, au hameau de Lumbres. Ses œuvres y sont connues de tous. La gloire, auprès de laquelle toute gloire humaine pâlit, alla chercher dans ce lieu désert le nouveau curé d'Ars[2]. La deuxième partie de ce livre, d'après des documents authentiques et des témoignages que personne n'oserait récuser, rapporte le dernier épisode de son extraordinaire vie.

1. « A l'article de la mort »; 2. Voir Notice, p. 8.

DEUXIÈME PARTIE

LE SAINT DE LUMBRES

I

Il ouvrit la fenêtre; il attendait encore on ne sait quoi. A travers le gouffre d'ombre ruisselant de pluie, l'église luisait faiblement, seule vivante... « Me voici », dit-il, comme en rêve...

La vieille Marthe, en bas, tirait les verrous. Au loin, l'enclume du maréchal tinta. Mais déjà il n'écoutait plus : c'était l'heure de la nuit où cet homme intrépide, soutien de tant d'âmes, chancelait sous le poids de son magnifique fardeau. « Pauvre curé de Lumbres ! disait-il en souriant, il ne fait rien de bon... il ne sait même plus dormir ! » Il disait aussi : « Croyez-vous bien ? J'ai peur du noir !... »

La lampe du sanctuaire dessinait peu à peu, dans la nuit, l'ogive des grandes fenêtres à trois meneaux[1]. La vieille tour, construite entre le chœur et la grande nef, élevait juste au-dessus sa flèche en charpente, et son pesant beffroi. Il ne les voyait plus. Il était debout, face aux ténèbres, seul, et comme à la proue d'un navire. La grande vague ténébreuse roulait autour avec un bruit surhumain. Des quatre coins de l'horizon accouraient vers lui les champs et les bois invisibles... et derrière les champs et les bois, d'autres villages et d'autres bourgs, tous pareils, crevant d'abondance, ennemis des pauvres, pleins d'avares accroupis, froids comme des suaires... Et plus loin encore les villes, qui ne dorment jamais. [...]

Pour la première fois, il doute, non pas de Dieu, mais de l'homme. Mille souvenirs le pressent : il entend les plaintes confuses, les bégaiements pleins de honte, le cri de douleur de la passion qui se dérobe et qu'un mot a clouée sur place, que la parole lucide retourne et dépouille toute vive... Il revoit les pauvres visages bouleversés, les regards qui veulent et ne veulent pas, les lèvres vaincues qui se relâchent, et la

1. *Meneaux :* montants de pierre qui, dans les anciennes fenêtres, divisent la baie en plusieurs compartiments.

JE AÉRIENNE
DE LUMBRES

Cl. Derenne.

bouche amère qui dit non... Tant de faux révoltés, si éloquents dans le monde, qu'il a vus à ses pieds, risibles! Tant de cœurs fiers, où pourrit un secret! Tant de vieux hommes, pareils à d'affreux enfants! Et par-dessus tous, fixant le monde d'un regard froid, les jeunes avares, qui ne pardonnent jamais.

Aujourd'hui comme hier, comme au premier jour de sa vie sacerdotale, les mêmes... Il est au terme de son effort, et l'obstacle manque tout à coup. Ceux qu'il a voulu délivrer, c'étaient ceux-là mêmes qui refusent la liberté comme un fardeau, et l'ennemi qu'il a poursuivi jusqu'au ciel rit au-dessous, insaisissable, invulnérable. Tous l'ont berné. « Nous cherchons la paix », disaient-ils. Non pas la paix, mais un court repos, une halte dans les ténèbres. Aux pieds du solitaire, ils venaient jeter leur écume; et puis ils retournaient à leurs tristes plaisirs, à leur vie sans joie. (Et il se comparait aussi à ces vieilles murailles insultées, où le passant grave une ligne obscène, et qui se détruisent lentement, pleines de secrets dérisoires.)

Ceux qu'il a tant de fois consolés ne le connaîtraient plus. A cette minute, une des plus tragiques de sa vie, il se sent pressé de toutes parts, tout est remis en question. [...]

L'infatigable ami des âmes ne souhaite plus que le repos, et quelque chose, encore, dont la pensée secrète détend toutes ses fibres, le besoin de mourir, pareil au désir des larmes... Et ce sont, en effet, des larmes qui baignent ses yeux, mais sans décharger son cœur, et dans sa naïveté le vieil homme ne les reconnaît plus, s'étonne et ne peut donner un nom à ce vertige voluptueux. La tentation suprême, où se sont abîmées avant lui tant de ces âmes ardentes, qui traversent d'un coup le plaisir et trouvent le néant, pour l'embrasser d'une définitive étreinte, il y va succomber, sans avoir ouvert les yeux. A la limite de son immense effort, la fatigue, tant de fois vaincue, refoulée, jaillit de lui, comme l'effusion de son propre sang. Nul remords. L'ennemi plein de ruse le roule dans cette lassitude désespérée, comme dans un suaire, avec une adresse infinie, l'affreuse dérision des soins maternels... [...] — ô soleil de Satan! — désir du néant recherché pour lui-même, abominable effusion du cœur! Le saint de Lumbres n'a plus de force que pour appeler ce repos effroyable; la grâce divine met un voile devant ces yeux tout à l'heure pleins encore du mystère divin... Ce regard si clair hésite à présent, ne sait où se poser. [...]

« Mourir, dit-il à voix basse, mourir... » Il épèle le mot, pour s'en pénétrer, pour le digérer dans son cœur... C'est vrai qu'il le sent maintenant au fond de lui, dans ses veines, ce mot, poison subtil... Il insiste, il redouble, avec une fièvre grandissante; il voudrait le vider d'un coup, hâter sa fin. Dans son impatience, il y a ce besoin du pécheur d'enfoncer dans son crime, toujours plus avant, pour s'y cacher à son juge; il est à cette minute où Satan pèse de tout son poids, où s'appliquent au même point, d'une seule pesée, toutes les puissances d'en bas.

Et c'est en haut qu'il lève pourtant son regard, vers le carré de ciel grisâtre, où la nuit se dissipe en fumées. Jamais il n'a prié avec cette volonté dure, d'un tel accent. Jamais sa voix ne parut plus forte entre ses lèvres, murmure au-dehors, mais qui au-dedans retentit, pareille à un grondement prisonnier dans un bloc d'airain... Jamais l'humble thaumaturge[1], dont on raconte tant de choses, ne se sentit plus près du miracle, face à face. Il semble que sa volonté se détend pour la première fois, irrésistible, et qu'une seule parole, articulée dans le silence, va le détruire à jamais... Oui, rien ne le sépare du repos qu'un dernier mouvement de sa volonté souveraine... Il n'ose plus regarder l'église ni, dans la brume de l'aube, les maisons de son petit troupeau; une honte le retient, qu'il a hâte de dissiper par un acte irréparable... A quoi bon s'embarrasser d'autres soins superflus? Il baisse les yeux vers la terre, son refuge*(**53**).

II — VI

[Un paysan de la commune de Luzarnes, le maître du Plouy, vient chercher le curé de Lumbres. Son fils, atteint d'une méningite, est à l'agonie. La mère espère on ne sait quoi de la présence du saint prêtre. L'abbé Donissan hésite : Luzarnes n'est pas sa paroisse et il craint d'être mal accueilli par son curé, l'abbé Sabiroux, ancien professeur de chimie au petit séminaire, esprit positif et étroit.

Il se met en route cependant. Il est reçu avec une certaine réserve par l'abbé Sabiroux, à la porte du Plouy. Mais voilà qu'à l'angoisse de la nuit succède une joie violente, insolite. C'est

1. *Thaumaturge* : faiseur de miracles.

comme un moment de triomphe et comme de revanche sur une vie de souffrances. Il se sent appelé, sans voir que dans son exaltation se manifeste encore « le vieil ennemi qui n'a aucune ruse ».
Or, lorsqu'il pénètre dans la ferme, on lui apprend que l'enfant est mort. Comme foudroyé, il s'enfuit dans le jardin en plein soleil, où le suit l'abbé Sabiroux. Le curé de Lumbres, brisé, implore l'assistance de son confrère. Puis, avec une violence soudaine, il lui révèle l'appel au miracle qu'il a cru sentir en lui. Sabiroux, soudain emporté par l'extraordinaire ascendant spirituel de son confrère, s'écrie : « Je vous ai méconnu ! Vous êtes un saint ! »]

« Vous ne m'avez pas compris », dit simplement le curé de Lumbres.

Il sait qu'il doit se taire, il parlera cependant. La faiblesse a sa logique et sa pente, comme l'héroïsme. Et toutefois le vieil homme hésite, avant de porter ses derniers coups.

« Je ne suis pas un saint, reprend-il. Allons ! laissez-moi dire. Je suis peut-être un réprouvé... Oui ! regardez-moi... Ma vie passée s'éclaire, et je la vois comme un paysage, comme en haut de Chennevières le bourg du Pin, sous mes pieds. Je travaillais à me détacher du monde, je le voulais, mais l'autre est plus fort et plus rusé ; il m'aidait à user en moi l'espérance. Comme j'ai souffert, Sabiroux ! Que de fois j'ai ravalé ma salive ! J'entretenais en moi ce dégoût ; c'est comme si j'avais serré sur mon cœur le diable enfant. J'étais à bout de forces quand cette crise a fini de tout briser. Bête que j'étais ! Dieu n'est pas là, Sabiroux ! »

Il hésite encore, devant l'innocente victime : ce prêtre fleuri, aux yeux candides. Et puis, avec rage, il frappe et redouble :

« Un saint ! Vous avez tous ce mot dans la bouche. Des saints ! savez-vous ce que c'est ? Et vous-même, Sabiroux, retenez ceci ! Le péché entre en nous rarement par force, mais par ruse. Il s'insinue comme l'air. Il n'a ni forme, ni couleur, ni saveur qui lui soit propre, mais il les prend toutes. Il nous use par-dedans. Pour quelques misérables qu'il dévore vifs et dont les cris nous épouvantent, que d'autres sont déjà froids, et qui ne sont même plus des morts, mais des sépulcres vides. Notre-Seigneur l'a dit : quelle parole, Sabiroux ! L'Ennemi des hommes vole tout, même la mort, et puis il s'envole en riant. »

(La même flamme repasse dans ses yeux fixes, comme un reflet sur un mur.)

« Son rire! voici l'arme du prince du monde. Il se dérobe comme il ment, il prend tous les visages, même le nôtre. Il n'attend jamais, il ne fait ferme[1] nulle part. Il est dans le regard qui le brave, il est dans la bouche qui le nie. Il est dans l'angoisse mystique, il est dans l'assurance et la sérénité du sot... Prince du monde! Prince du monde! »

« Pourquoi cette colère? Contre qui?... » se demande le curé de Luzarnes, bonnement.

« Ah! s'écrie-t-il, des hommes tels que vous... »

Mais le saint de Lumbres ne le laisse pas finir; il marche dessus, à l'accoler.

« Des hommes tels que moi! Le saint Livre vous le dit, Sabiroux; ils s'évanouissent dans leur sagesse[2]. »

Puis il lui demande soudain, de sa voix coupante :

« Prince du monde... que pensez-vous de ce monde-là, vous?

— Ma foi, sans doute..., siffle le bonhomme entre ses dents.

— Prince du monde; voilà le mot décisif. Il est prince *de ce monde*, il l'a dans ses mains, il en est roi.

« ...Nous sommes sous les pieds de Satan, reprend-il après un silence. Vous, moi plus que vous, avec une certitude désespérée. Nous sommes débordés, noyés, recouverts. Il ne prend même pas la peine de nous écarter, chétifs, il fait de nous ses instruments; il se sert de nous, Sabiroux. A cette minute, que suis-je moi-même? Un scandale pour vous, une épine qu'il vous enfonce dans le cœur. Pardonnez-moi, au nom de la pitié divine! J'ai porté cette pensée, chaque jour mûrie, en silence, toute ma vie. Je ne la contiens plus; elle m'a dévoré. C'est moi qui suis en elle, mon enfer! J'ai connu trop d'âmes, Sabiroux, j'ai trop entendu la parole humaine, quand elle ne sert plus à déguiser la honte, mais à l'exprimer; prise à sa source, pompée comme le sang d'une blessure. Moi aussi, j'ai cru pouvoir lutter, sinon vaincre. Au début de notre vie sacerdotale nous nous faisons du pécheur une idée si singulière, si généreuse. Révolte, blasphème, sacrilège, cela a sa grandeur sauvage, c'est une bête qu'on va dompter... Dompter le pécheur! ô la ridicule pensée! Dompter la faiblesse et la lâcheté mêmes! [...]

1. Il ne s'arrête (expression vieillie que l'on trouve chez Bossuet et Voltaire); **2.** C'est une expression de l'Ancien Testament (Ecclésiaste), souvent reprise par Bossuet.

Nous sommes vaincus, vous dis-je ! Vaincus ! Vaincus ! »

Une minute, une longue minute, il écoute son propre blasphème, comme la dernière pelletée de terre sur une tombe. Celui qui renia trois fois son maître[1], un seul regard a pu l'absoudre, mais quelle espérance à celui-là qui s'est renié lui-même*(**54**) ?

VII

[Malgré cet abattement soudain, le curé de Lumbres rentre dans la chambre mortuaire pour répondre à l'appel entendu.]

Il écoute. Au-dehors, derrière les persiennes closes, le jardin flambe et siffle sous le soleil, comme un fagot de bois vert dans le feu. Au-dedans, l'air est lourd du parfum des lilas, de la cire chaude, et d'une autre odeur solennelle. Le silence, qui n'est plus celui de la terre, que les bruits extérieurs traversent sans le rompre, monte autour d'eux, de la terre profonde. Il monte, comme une invisible buée, et déjà se défont et se délient les formes vivantes, vues au travers ; déjà les sons s'y détendent, déjà s'y recherchent et s'y rejoignent mille choses inconnues. Pareil au glissement l'un sur l'autre de deux fluides d'inégale densité, deux réalités se superposent, sans se confondre, dans un équilibre mystérieux.

A ce moment, le regard du saint de Lumbres rencontra celui du mort, et s'y fixa.

Le regard d'un seul de ces yeux morts, l'autre clos. Abaissés trop tôt, sans doute, et par une main tremblante, la rétraction du muscle a soulevé un peu la paupière, et l'on voit sous les cils tendus la prunelle bleue, déjà flétrie, mais étrangement foncée, presque noire. Du visage blême au creux de l'oreiller, on ne voit qu'elle, au milieu d'un cerne élargi comme d'un trou d'ombre. Le petit corps, dans son linceul jonché de lilas, a déjà cette raideur et ces angles du cadavre autour duquel notre air, si amoureux des formes vivantes, paraît solidifié comme un bloc de glace. Le lit

1. L'apôtre Pierre, dans les récits évangéliques, renie trois fois Jésus au cours de la nuit qui précède le crucifiement ; Jésus, qui lui avait prédit cette lâcheté, lui lance un regard de reproche, mais aussi de pardon quand il part pour le supplice.

de fer, avec son froid petit fardeau, ressemble à un merveilleux navire, qui a jeté l'ancre pour toujours. Il n'y a plus que ce regard en arrière — un long regard d'exilé — aussi net qu'un signe de la main.

Certes, le curé de Lumbres ne le craint pas, ce regard; mais il l'interroge. Il essaie de l'entendre. Tout à l'heure, dans une espèce de défi, il a passé le seuil de la porte, prêt à jouer entre ces quatre murs blancs une partie désespérée. Il a marché vers le mort sans attendrissement, sans pitié, comme sur un obstacle à franchir, une chose à ébranler, trop pesante... Et voici que le mort l'a devancé : *c'est lui qui l'attend*, pareil à un adversaire résolu, sur ses gardes.

Il fixe cet œil entrouvert avec une attention curieuse, où la pitié s'efface à mesure, puis avec une espèce d'impatience cruelle. Certes, il a contemplé la mort aussi souvent que le plus vieux soldat; un tel spectacle est familier. Faire un pas, étendre la main, clore des doigts la paupière, recouvrir la prunelle qui le guette, que rien ne défend plus, quoi de plus simple? Nulle terreur ne le retient aujourd'hui, nul dégoût. Plutôt le désir, l'attente inavouée d'une chose impossible, qui va s'accomplir en dehors de lui, sans lui. Sa pensée hésite, recule, avance de nouveau. Il tente ce mort, comme tout à l'heure sans le savoir il tentera Dieu.

Encore un coup, il essaie de prier, remue les lèvres, décontracte sa gorge serrée. Non! encore une minute, une petite minute encore... La crainte folle, insensée, qu'une parole imprudente écarte à jamais une présence invisible, devinée, désirée, redoutée, le cloue sur place, muet. La main, qui ébauchait en l'air le signe de la croix, retombe. La large manche, au passage, fait vaciller la flamme du cierge, et la souffle. Trop tard! Il a vu, deux fois, les yeux s'ouvrir et se fermer pour un appel silencieux. Il étouffe un cri. La chambre obscure est déjà plus paisible qu'avant. La lumière du dehors glisse à travers les volets, flotte alentour, dessine chaque objet sur un fond de cendre, et le lit au milieu d'un halo bleuâtre. Dans la cuisine, l'horloge sonne dix coups... Le rire d'une fille monte dans le clair matin, vibre longtemps... « Allons! Allons!... » dit le saint de Lumbres, d'une voix mal assurée*(**55**).

Il se fouille avec un empressement comique, cherche le briquet d'amadou, cadeau de M. le comte de Salpène (mais qu'il oublie toujours sur sa table), découvre une allumette, la rate, répète : « Allons... allons », les dents serrées. En vidant ses poches, il a déposé à terre son couteau à manche de corne, des lettres, son mouchoir de coton d'un si beau rouge ! et il tâte en vain le carreau, çà et là, sans les retrouver. Le lit tout proche fait une ombre plus dense. Mais en haut, par contraste, la buée lumineuse, autour des volets clos, s'élargit, s'étale. Déjà le visage du mort apparaît... par degrés... remonte... lentement... jusqu'à la surface des ténèbres. Le bonhomme se penche à le toucher, regarde... « Les deux yeux, à présent grands ouverts, le regardent aussi. »

Une minute encore, il soutient ce regard, avec une folle espérance. Mais aucun pli ne bouge des paupières retroussées. Les prunelles, d'un noir mat, n'ont plus de pensée humaine... Et pourtant... Une autre pensée peut-être ?... Une ironie bientôt reconnue, dans un éclair... Le défi du maître de la mort, du voleur d'hommes... C'est lui.

« C'est toi. Je te reconnais », s'écrie le misérable vieux prêtre d'une voix basse et martelée. En même temps, il lui semble que tout le sang de ses veines retombe sur son cœur en pluie glacée. Une douleur fulgurante, indicible, le traverse d'une épaule à l'autre, déjà diffuse dans le bras gauche, jusqu'aux doigts gourds. Une angoisse jamais sentie, toute physique, fait le vide dans sa poitrine, comme d'une monstrueuse succion à l'épigastre. Il se raidit pour ne pas crier, appeler.

Toute sécurité vitale a disparu : la mort est proche, certaine, imminente. L'homme intrépide lutte contre elle avec une énergie désespérée. Il trébuche, fait un pas pour rattraper son équilibre, s'accroche au lit, ne veut pas tomber. Dans ce simple faux pas, quarante ans d'une volonté magnanime, à sa plus haute tension, se dépensent en une seconde, pour un dernier effort, surhumain, capable de fixer un moment la destinée.

Il est donc vrai que, jusqu'à ce que la nuit le dérobe, le recouvre à son tour, le tenace bourreau qui s'amuse des hommes comme d'une proie l'entoure de ses prestiges, l'appelle, l'égare, ordonne ou caresse, retire ou rend l'espérance, prend toutes les voix, ange ou démon, innombrable, efficace, puissant comme un Dieu. Comme un Dieu ! Ah ! qu'importe l'enfer et sa flamme, pourvu que soit écrasée, une fois, rien qu'une fois, la monstrueuse malice ! Est-il possible, Dieu veut-il, que le serviteur qui l'a suivi trouve à sa place le roi risible des mouches, la bête sept fois couronnée[1] ? A la bouche qui cherche la Croix, aux bras qui la pressent, donnera-t-on cela seulement ? Ce mensonge ?... Est-ce possible ? répète le saint de Lumbres à voix basse, est-ce possible ?... Et tout aussitôt :

« Vous m'avez trompé », s'écrie-t-il.

(La douleur aiguë qui le ceignait d'un effroyable baudrier desserre un peu son étreinte, mais sa respiration s'embarrasse. Son cœur bat lentement, comme noyé. « Je n'ai plus qu'un moment », se dit le malheureux homme, soulevant de terre, l'un après l'autre, ses pieds de plomb.)

Mais rien n'arrête celui qui, les mâchoires jointes et se rassemblant tout entier dans une seule pensée, avance à l'ennemi vainqueur et mesure son coup. Le saint de Lumbres glisse ses mains sous les petits bras raides, tire à demi au-dehors le léger cadavre. La tête retombe et roule sur l'une et l'autre épaule, puis glisse en arrière, immobile. Elle a l'air de dire : « Non !... Non ! » avec le joli geste las des enfants gâtés. Mais qu'importe au rude paysan forcé jusque dans sa suprême espérance, et que retient debout une colère surhumaine, un de ces sentiments élémentaires, rage d'enfant ou de demi-dieu*(**56**) ?

Il élève le petit garçon comme une hostie. Il jette au ciel un regard farouche. Comment espérer reproduire le cri de détresse, la malédiction du héros, qui ne demande pitié ni pardon, mais justice ! Non, non ! il n'implore pas ce miracle, il l'exige. Dieu lui doit, Dieu lui donnera, ou tout n'est qu'un songe. De lui ou de Vous, dites quel est le maître ! O la folle, folle parole, mais faite pour retentir jusqu'au ciel, et briser le silence ! Folle parole, amoureux blasphème !... [...]

VIII — IX

[A ce moment, un cri retentit dans la pièce, accompagné d'un rire strident. Donissan lâche le petit cadavre et fuit de nouveau. Sabiroux le retrouve sur la route pour l'informer, sur un ton de dur mépris, que la mère, entrée derrière lui dans la chambre, n'a pu résister à ce qu'il qualifie d'odieuse mise en scène, et a été saisie par un accès de démence.

1. Expressions de l'Apocalypse pour désigner le démon.

Donissan lui confie la douleur étrange dont il vient d'être atteint. Sabiroux reconnaît les symptômes de l'angine de poitrine. Le curé, seul, rentre à Lumbres, se sachant perdu. Il passe le reste de sa journée enfermé dans la sacristie et, sur le soir, pénètre dans l'église pour y confesser.]

Déjà le vieux prêtre gagnait son confessionnal, lentement, la tête un peu penchée sur l'épaule droite, la main toujours pressée sur son cœur. Au premier pas, il crut tomber. Mais un remous de la foule l'avait déjà porté au but; elle se refermait sur lui. Encore un coup, il était leur proie.

Il ne leur échappera plus. Il reste debout, dans l'épaisse nuit, sa haute taille pliée en deux, la nuque au plafond de chêne, cherchant son haleine. Il abandonne à la souffrance un corps inerte, humilié, sa dépouille. Sa stupide patience lasserait le bourreau.

Mais qui pourra lasser jamais celui-là qui l'observe, invisible, et se satisfait de son agonie? Il faut que le misérable vieillard, un moment rebelle, presque vainqueur, sente sur lui jusqu'à la fin cette puissance qu'il a bravée... Plût à Dieu qu'il reconnût au moins, face à face, son ennemi! Mais ce n'est pas cette voix qu'il entendra, ce dernier défi... Voici qu'à travers la douleur aiguë la conscience lui revient, par degrés, qu'il écoute... Il écoute un murmure bientôt plus distinct... monotone... inexorable. Il le reconnaît... Ce sont eux. Un par un, hommes et femmes, les voilà tous, dont il sent le souffle monter vers lui, moins détestable que leur parole impure, mornes litanies[1] du péché, mots souillés depuis des siècles, ignoblement ternis par l'usage, passant de la bouche des pères dans celle des fils, pareils aux pages les plus lues d'un mauvais livre, et que le vice a marquées de son signe — contresignées[2] — dans la crasse de milliers de doigts. Elle monte, cette parole; elle recouvre peu à peu le saint de Lumbres encore debout. Comme ils se hâtent! Comme ils vont vite!... Mais, sitôt le souffle revenu, vous les verrez — ah! vous les verrez ces affreux enfants! — chercher, tâter des lèvres la hideuse mamelle que Satan presse pour eux, gonflée du poison chéri!... Jusqu'à la mort, lève la main, pardonne, absous, homme de la Croix, vaincu d'avance!

1. *Litanie :* prière en forme de courtes invocations, que l'officiant et les fidèles chantent en l'honneur de Dieu, de la Vierge ou des saints; **2.** *Contresigner :* apposer sa signature sur un acte pour en attester l'authenticité.

Il écoute, il répond comme en rêve, mais avec une extrême lucidité. Jamais son cerveau ne fut plus libre, son jugement plus prompt, plus net, tandis que sa chair n'est attentive qu'à la douleur grandissante, au point fixe d'où la souffrance aiguë s'irradie, pousse en tous sens ses merveilleux rameaux, ou court sous la trame des nerfs, pareille à une navette agile. Elle a pénétré si avant qu'elle semble atteindre la division du corps et de l'esprit, faire deux parts du même homme... Le saint de Lumbres à l'agonie n'a plus commerce qu'avec les âmes. Il les voit, de ce regard sur lequel la paupière est déjà retombée, — elles seules... Crispé à la cloison sonore, les reins douloureusement pressés sur la stalle où il n'ose s'asseoir, la bouche ouverte pour aspirer l'air épais, ruisselant de sueur, il n'entend que ce murmure à peine distinct, la voix de ses fils à genoux, pleine de honte. Ah! qu'ils parlent ou se taisent, la grande âme impatiente a déjà devancé l'aveu, ordonne, menace, supplie! L'homme de la Croix n'est pas là pour vaincre, mais pour témoigner jusqu'à la mort de la ruse féroce, de la puissance injuste et vile, de l'arrêt inique dont il appelle à Dieu. Regardez ces enfants, Seigneur, dans leur faiblesse! leur vanité, aussi légère et aussi prompte qu'une abeille, leur curiosité sans constance, leur raison courte, élémentaire, leur sensualité pleine de tristesse..., entendez leur langage, à la fois fruste et perfide, qui n'embrasse que les contours des choses, riche de la seule équivoque, assez ferme quand il nie, toujours lâche pour affirmer, langage d'esclave ou d'affranchi[1], fait pour l'insolence et la caresse, souple, insidieux, déloyal. *Pater, dimitte illis, non enim sciunt quid faciant*[2] *!*

X — XI

[Le soir, l'abbé Sabiroux a amené à Lumbres avec lui le jeune docteur Gambillet, l'enfant terrible du bourg voisin de Chavranches, sceptique et gouailleur, pour qu'il examine le curé. A la cure, ils trouvent l'illustre académicien Antoine Saint-Marin, venu de Paris visiter le saint. On reconnaît aisément dans cette caricature Anatole France.]

1. *Affranchi :* esclave à qui on a donné sa liberté, et qui pouvait jouir d'une partie des droits du citoyen dans le monde antique; **2.** « Mon père, pardonnez-leur car ils ne savent pas ce qu'ils font. » Prière du Christ en croix, demandant à Dieu d'absoudre ses bourreaux.

L'illustre vieillard exerce, depuis un demi-siècle, la magistrature de l'ironie. Son génie, qui se flatte de ne respecter rien, est de tous le plus docile et le plus familier. S'il feint la pudeur ou la colère, raille ou menace, c'est pour mieux plaire à ses maîtres, et, comme une esclave obéissante, tour à tour mordre ou caresser. Dans la bouche artificieuse, les mots les plus sûrs sont pipés[1], la vérité même est servile. Une curiosité, dont l'âge n'a pas encore émoussé la pointe, et qui est l'espèce de vertu de ce vieux jongleur, l'entraîne à se renouveler sans cesse, à se travailler devant le miroir. Chacun de ses livres est une borne où il attend le passant. Aussi bien qu'une fille instruite et polie par l'âpre expérience du vice, il sait que la manière de donner vaut mieux que ce qu'on donne, et, dans sa rage à se contredire et à se renier, il arrive à prêter chaque fois au lecteur un homme tout neuf.

Les jeunes grammairiens[2] qui l'entourent portent aux nues sa simplicité savante, sa phrase aussi rouée qu'une ingénue de théâtre, les détours de sa dialectique, l'immensité de son savoir. La race sans moelle, aux reins glacés, reconnaît en lui son maître. Ils jouissent, comme d'une victoire remportée sur les hommes, au spectacle de l'impuissance qui raille au moins ce qu'elle ne peut étreindre, et réclament leur part de la caresse inféconde. Nul être pensant n'a défloré plus d'idées, gâché plus de mots vénérables, offert aux goujats plus riche proie. De page en page, la vérité qu'il énonce d'abord avec une moue libertine, trahie, bernée, brocardée, se retrouve à la dernière ligne, après une suprême culbute, toute nue, sur les genoux de Sganarelle vainqueur... Et déjà la petite troupe, bientôt grossie d'un public hagard et dévot, salue d'un rire discret le nouveau tour du gamin bientôt centenaire.

« Je suis le dernier des Grecs », dit-il de lui-même, avec un rictus singulier.

Aussitôt vingt niais, hâtivement instruits d'Homère par ce qu'ils en ont pu lire en marge de M. Jules Lemaitre[3],

1. En ce sens, le verbe « piper » n'est plus employé que dans l'expression « piper les dés », c'est-à-dire les fausser, les truquer. Des mots *pipés* permettent donc de tricher avec la vérité; **2.** Terme péjoratif, pour désigner les intellectuels sans génie qui entourent le grand homme; **3.** *Jules Lemaitre :* critique littéraire et écrivain (1853-1914). Il a en particulier écrit un recueil de récits et de contes, *En marge des vieux livres,* dont les sujets sont inspirés par des œuvres littéraires.

célèbrent ce nouveau miracle de la civilisation méditerranéenne, et courent réveiller, de leurs cris aigus, les Muses consternées. Car c'est la coquetterie du hideux vieillard, et sa grâce la plus cynique, de feindre attendre la gloire sur les genoux de l'altière déesse, bercé contre la chaste ceinture où il égare ses vieilles mains... Étrange, effroyable nourrisson!

Depuis longtemps, il avait décidé de visiter Lumbres, et ses disciples ne cachaient plus aux profanes qu'il y porterait l'idée d'un nouveau livre. « Les hasards de la vie, confiait-il à son entourage, sur ce ton d'impertinence familière avec lequel il prétend dispenser les trésors d'un scepticisme de boulevard, baptisé pour lui sagesse antique, — les hasards de la vie m'ont permis d'approcher plus d'un saint, pourvu qu'on veuille donner ce nom à ces hommes de mœurs simples et d'esprit candide, dont le royaume n'est pas de ce monde, et qui se nourrissent, comme nous tous, du pain de l'illusion, mais avec un exceptionnel appétit. Toutefois ceux-là vivent et meurent, reconnus de peu de gens, et sans avoir étendu bien loin la contagion de leur folie. Qu'on me pardonne d'être revenu si tard à des rêves d'enfant. Je voudrais, de mes yeux, voir un autre saint, un vrai saint, un saint à miracles et, pour tout dire, un saint populaire. Qui sait? Peut-être irai-je à Lumbres pour y achever de mourir entre les mains de ce bon vieillard? »

Ce propos, d'autres encore, furent longtemps tenus pour une aimable fantaisie, bien qu'ils exprimassent, avec une espèce de pudeur comique, un sentiment sincère, bas mais humain, une crainte sordide de la mort*(**57**).

XII

[En attendant que le curé de Lumbres revienne de l'église, Sabiroux offre à ses deux compagnons de leur faire visiter la chambre du saint. Les visiteurs examinent avec un sourire gêné la paillasse du saint, ses pauvres hardes. L'académicien se met à disserter avec complaisance sur la grandeur simple de ces images, quand soudain la découverte de la lanière que le saint utilise pour se donner la discipline et la vue, sur le mur, des traces sanglantes de ces macérations, le fige en une muette horreur...

Tous les trois quittent la cure pour rejoindre Donissan à l'église.

Mais il y est introuvable. Sabiroux, inquiet, entraîne alors le médecin sur la route de Verneuil, où le saint prêtre se promène quelquefois le soir.

Saint-Marin, demeuré seul, les attend dans la quiétude de l'église.]

XIII

Sourire magique! La vieille église, attiédie par le jour, respire autour de lui, d'une lente haleine; une odeur de pierre antique et de bois vermoulu, aussi secrète que celle de la futaie profonde, glisse au long des piliers trapus, erre en brouillard sur les dalles mal jointes ou s'amasse dans les coins sombres, pareille à une eau dormante. Un renfoncement du sol, l'angle d'un mur, une niche vide la recueille comme dans une ornière de granit. Et la lueur rouge de la veilleuse, au loin, vers l'autel, ressemble au fanal sur un étang solitaire.

Saint-Marin flaire avec délice cette nuit campagnarde, entre des murailles du XVIe siècle, pleines du parfum de tant de saisons. Il a gagné le côté droit de la nef, se ramasse à l'extrémité d'un banc de chêne, dur et cordial; une lampe de cuivre, au bout d'un fil de fer, se balance au-dessus, avec un grincement léger. Par intervalles une porte bat. Et, lorsque tout va faire silence, peut-être, ce sont les vitraux poussiéreux qui grelottent dans leur résille[1] de plomb, au trot d'un cheval, sur la route. [...]

XIV

[Resté seul dans l'église, Saint-Marin médite.]

« Que ne suis-je venu plus tôt, se dit-il, respirer l'air d'une église rustique!... Nos grand-mères 1830 savaient des secrets que nous avons perdus! » Il regrette la visite au presbytère, qui pensa l'égarer, le sot pèlerinage à la chambre du saint (ce pan de mur dont la vue fit chanceler un moment sa raison), spectacle en somme un peu barbare, et fait pour

1. *Résille* : primitivement « filet ». C'est le terme propre pour désigner les minces barres de plomb qui maintiennent un vitrail.

un public moins délicat... « La sainteté, s'avoue-t-il, comme toutes choses en ce monde, n'est belle à voir qu'en scène; l'envers du décor est puant et laid. » Sa cervelle en rumeur bourdonne de mille pensées nouvelles, hardies; une jeune espérance, confuse encore, émeut jusqu'à ses muscles; il ne s'est pas senti, depuis bien des jours, si souple, si vigoureux.

« Il y a une joie dans le vieillir, s'écrie-t-il, presque à voix haute, qui m'est révélée aujourd'hui. L'amour même — oui, l'amour même! — peut être quitté sans rudesse. J'ai recherché la mort dans les livres, ou dans les ignobles cimetières citadins, tantôt démesurée, comme une vision formée dans les rêves, tantôt rabaissée à la taille d'un homme en casquette, qui tient en bon état, disent-ils, la clôture des tombes, enregistre, administre. Non! c'est ici, ou dans d'autres séjours semblables, qu'il faut l'accueillir avec bonhomie, ainsi que le froid et le chaud, la nuit et le jour, la marche insensible des astres, le retour des saisons, à l'exemple des sages et des bêtes. Combien le philosophe peut apprendre de choses précieuses, incomparables, du seul instinct de quelque vieux prêtre tel que celui-ci, tout proche de la nature, héritier de ces solitaires inspirés dont nos pères firent jadis les divinités des champs. O l'inconscient poète, qui, cherchant le royaume du ciel, trouve au moins le repos, une humble soumission aux forces élémentaires, la profonde paix... »

En étendant le bras, l'illustre maître pourrait toucher du doigt le confessionnal où le saint de Lumbres dispense à son peuple les trésors de sa sagesse empirique. Il est là, entre deux piliers, badigeonné d'un affreux marron, vulgaire, presque sordide, fermé de deux rideaux verts. L'auteur du *Cierge Pascal*[1] déplore tant de laideur inutile, et qu'un prophète villageois rende ses oracles au fond d'une boîte de sapin; mais il considère toutefois avec curiosité le grillage de bois derrière lequel il imagine le calme visage du vieux prêtre, souriant, attentif, les yeux clos, la main levée pour bénir. Qu'il l'aime mieux ainsi que tout sanglant, là-haut, face à la muraille nue, le fouet à la main, dans son cruel délire!

[La méditation de Saint-Marin se poursuit.]

1. Saint-Marin. Par dérision, Bernanos lui attribue cet ouvrage au titre religieux.

« Douter n'est pas plus rafraîchissant que nier. Mais d'être un professeur de doute, quel supplice chinois ! Encore, dans la force de l'âge, la recherche des femmes, l'obsession du sexe congestionne habituellement les cerveaux, refoule la pensée. Nous vivons dans le demi-délire de la délectation morose, coupé d'accès de désespoir lucide. Mais d'année en année les images perdent leur force, nos artères filtrent un sang moins épais, notre machine tourne à vide. Nous remâchons dans la vieillesse des abstractions de collège, qui tenaient de l'ardeur de nos désirs toute leur vertu ; nous répétons des mots non moins épuisés que nous-mêmes ; nous guettons aux yeux des jeunes gens les secrets que nous avons perdus. Ah ! l'épreuve la plus dure est de comparer sans cesse à sa propre déchéance l'ardeur et l'activité d'autrui, comme si nous sentions glisser inutilement sur nous la puissante vague de fond qui ne nous lèvera plus... A quoi bon tenter ce qui ne peut être tenté qu'une fois ? Ce bonhomme de prêtre a fait moins sottement qui s'est retiré de la vie avant que la vie ne se retirât. Sa vieillesse est sans amertume. Ce que nous regrettons de perdre, il souhaite en être au plus tôt délivré ; quand nous nous lamentons de ne plus sentir de pointe au désir, il se flatte d'être moins tenté. Je jurerais qu'à trente ans il s'était fait des félicités de vieillard, sur quoi l'âge n'a pu mordre. Est-il trop tard pour l'imiter ? Un paysan mystique, nourri de vieux livres et des leçons de maîtres grossiers, dans la poudre des séminaires, peut s'élever par degrés à la sérénité du sage, mais son expérience est courte, sa méthode naïve et parfois saugrenue ; compliquée d'inutiles superstitions. Les moyens dont dispose, à la fin de sa carrière, mais dans la pleine force de son génie, un maître illustre, ont une autre efficace. Emprunter à la sainteté ce qu'elle a d'aimable ; retrouver sans roideur la paix de l'enfance ; se faire au silence et à la solitude des champs ; s'étudier moins à ne rien regretter qu'à ne se souvenir de rien ; observer par raison, avec mesure, les vieux préceptes d'abstinence et de chasteté, assurément précieux ; jouir de la vieillesse comme de l'automne ou du crépuscule ; se rendre peu à peu la mort familière, n'est-ce pas un jeu difficile, mais rien qu'un jeu, pour l'auteur de beaucoup de livres, dispensateur d'illusion ? « Ce sera ma dernière œuvre, conclut l'éminent maître, et je ne l'écrirai que pour moi, acteur et public tour à tour... »

[Les derniers pénitents sont partis. L'académicien se trouve seul dans la petite nef qui s'obscurcit. Il se laisse aller à ce rêve naïf de retraite, sans échapper une minute *au piège de sa propre bassesse.* « *Je tiens mon saint*, s'écrie-t-il presque, *comme un acteur dirait* « *Je tiens mon Polyeucte.* »]

L'obsession devient si forte qu'il croit rêver, perd un moment contact, frissonne en se retrouvant seul. Ce réveil trop brusque a rompu l'équilibre, le laisse agité, nerveux. Il regarde avec méfiance le confessionnal vide, si proche. La porte close au rideau vert l'invite... Hé quoi! quelle meilleure occasion de voir plus que le pauvre logis du bonhomme, son grabat, sa discipline : le lieu même où il se manifeste aux âmes? L'auteur du *Cierge Pascal* est seul et d'ailleurs il s'inquiète peu d'être vu. A soixante-dix ans, sa première impulsion est toujours nette, franche, irrésistible, dangereux privilège des écrivains d'imagination... Sa main tâtonne, trouve une poignée, ouvre d'un coup.

L'hésitation a suivi le geste, au lieu de le devancer; la réflexion vient trop tard. Un remords indéfinissable, le regret d'avoir agi si vite, au hasard; la crainte, ou la honte, de surprendre un secret mal défendu, lui fait un instant baisser les yeux; mais déjà le reflet de la lampe sur les dalles a trouvé l'ouverture béante, s'y glisse, monte lentement... Son regard monte avec lui...

...S'arrête... A quoi bon? On ne recouvre plus ce que la lumière découvre une fois, pour toujours.

...Deux gros souliers, pareils à ceux trouvés là-haut; le pli d'une soutane bizarrement troussée... une longue jambe maigre dans un bas de laine, toute roide, un talon posé sur le seuil, voilà ce qu'il a vu d'abord. Puis... petit à petit... dans l'ombre plus dense... une blancheur vague, et tout à coup la face terrible, foudroyée.

Antoine Saint-Marin sait montrer dans les cas extrêmes une bravoure froide et calculée. D'ailleurs, mort ou vif, ce bonhomme inattendu l'irrite au moins autant qu'il l'effraie. En somme, on l'interrompt tout à coup, au bon moment, en plein rêve; le dernier mot reste, au fond de sa boîte obscure, à ce témoin singulier, au cadavre vertical. Un professeur d'ironie trouve son maître, et s'éveille, quinaud[1], d'un songe un peu niais, attendrissant.

1. *Quinaud :* honteux, confus. Terme vieilli.

Il ouvre largement la porte, recule d'un pas, mesure du regard son étrange compagnon, et sans oser encore le défier, l'affronte.

« Beau miracle ! siffle-t-il entre ses dents, un peu rageur. Le brave prêtre est mort ici sans bruit, d'une crise cardiaque. Tandis que ces imbéciles trottent à sa recherche sur les chemins, il est là, bien tranquille, telle une sentinelle, tuée d'une balle dans sa guérite, à bout portant !... »

Dressé contre la paroi, les reins soutenus par l'étroit siège sur lequel il s'est renversé au dernier moment, arc-bouté de ses jambes roides contre la mince planchette de bois qui barre le seuil, le misérable corps du saint de Lumbres garde, dans une immobilité grotesque, l'attitude d'un homme que la surprise met debout.

. . . .

Que d'autres soient, d'une main amie, sous un frais drap blanc, disposés pour le repos ; celui-ci se lève encore dans sa nuit noire, écoute le cri de ses enfants... Il a encore quelque chose à dire... Non ! son dernier mot n'est pas dit... Le vieil athlète percé de mille coups témoigne pour de plus faibles, nomme le traître et la trahison... Ah ! le diable, l'autre, est sans doute un adroit, un merveilleux menteur, ce rebelle entêté dans sa gloire perdue, plein de mépris pour le bétail humain lourd et pensif que les mille ressources de sa ruse excitent ou retiennent à son gré, mais son humble ennemi lui fait front, et sous la huée formidable remue sa tête obstinée. De quelle tempête de rires et de cris le joyeux enfer acclame la parole naïve, à peine intelligible, la défense confuse et sans art ! Qu'importe ! un autre encore l'entend, que les cieux ne céleront pas toujours*(**58**) !

Seigneur, il n'est pas vrai que nous vous ayons maudit ; qu'il périsse plutôt, ce menteur, ce faux témoin, votre rival dérisoire ! Il nous a tout pris, nous laisse tout nus, et met dans notre bouche une parole impie. Mais la souffrance nous reste, qui est notre part commune avec vous, le signe de notre élection, héritée de nos pères, plus active que le feu chaste, incorruptible... Notre intelligence est épaisse et commune, notre crédulité sans fin, et le suborneur subtil, avec sa langue dorée... Sur ses lèvres, les mots familiers prennent le sens qu'il lui plaît, et les plus beaux nous égarent mieux. Si nous nous taisons, il parle pour nous et, lorsque nous essayons de nous justifier, notre discours nous condamne. L'incomparable raisonneur, dédaigneux de contredire, s'amuse à tirer de ses victimes leur propre sentence de mort. Périssent avec lui les mots perfides! C'est par son cri de douleur que s'exprime la race humaine, la plainte arrachée à ses flancs par un effort démesuré. Vous nous avez jetés dans l'épaisseur comme un levain. L'univers, que le péché nous a ôté, nous le reprendrons pouce par pouce, nous vous le rendrons tel que nous le reçûmes, dans son ordre et sa sainteté, au premier matin des jours. Ne nous mesurez pas le temps, Seigneur! Notre attention ne se soutient pas, notre esprit se détourne si vite! Sans cesse le regard épie, à droite ou à gauche, une impossible issue; sans cesse l'un de vos ouvriers jette son outil et s'en va. Mais votre pitié, elle, ne se lasse point, et partout vous nous présentez la pointe du glaive; le fuyard reprendra sa tâche, ou périra dans la solitude... Ah! l'ennemi qui sait tant de choses ne saura pas celle-là! Le plus vil des hommes emporte avec lui son secret, celui de la souffrance efficace, purificatrice... Car ta douleur est stérile, Satan!... Et pour moi, me voici où tu m'as mené, prêt à recevoir ton dernier coup... Je ne suis qu'un pauvre prêtre assez simple, dont ta malice s'est jouée un moment, et que tu vas rouler comme une pierre... Qui peut lutter de ruse avec toi? Depuis quand as-tu pris le visage et la voix de mon Maître? Quel jour ai-je cédé pour la première fois? Quel jour ai-je reçu avec une complaisance insensée le seul présent que tu puisses faire, trompeuse image de la déréliction[1] des saints, ton désespoir, ineffable à un cœur d'homme? Tu souffrais, tu priais avec moi, ô l'affreuse pensée! Ce miracle même... Qu'importe! Qu'importe! Dépouille-moi! Ne me laisse rien! Après moi un autre, et puis un autre encore, d'âge en âge, élevant le même cri, tenant embrassée la Croix... Nous ne sommes point ces saints vermeils à barbe blonde que les bonnes gens voient peints, et dont les philosophes eux-mêmes envieraient l'éloquence et la bonne santé. Notre part n'est point ce que le monde imagine. Auprès de celle-ci, la contrainte même du génie est un jeu frivole. Toute belle vie, Seigneur, témoigne pour vous; mais le témoignage du saint est comme arraché par le fer.

Telle fut sans doute, ici-bas, la plainte suprême du curé de Lumbres, élevée vers le Juge, et son reproche amoureux.

1. *Déréliction:* voir p. 93, note 1.

Mais, à l'homme illustre*(**59**) qui l'est venu chercher si loin, il a autre chose à dire. Et, si la bouche noire, dans l'ombre, qui ressemble à une plaie ouverte par l'explosion d'un dernier cri, ne profère plus aucun son, le corps tout entier mime un affreux défi*(**60**) :

« TU VOULAIS MA PAIX, S'ÉCRIE LE SAINT, VIENS LA PRENDRE!... »

DOCUMENTATION THÉMATIQUE

réunie par la Rédaction des Nouveaux Classiques Larousse

1. Le surnaturel dans l'œuvre de Bernanos.
2. Style et images.

1. LE SURNATUREL DANS L'ŒUVRE DE BERNANOS

◆ Michel Estève, directeur de *Études Bernanosiennes*, « Quelques aspects de la transcription du surnaturel dans l'œuvre romanesque de Bernanos », *Le français dans le monde*, nº 11, sept. 1962. (© Librairies Hachette et Larousse).

Écrivain au sens profond — peut-être conviendrait-il de préciser au sens métaphysique — du terme[1] et non point homme de lettres, Bernanos, on le sait, s'imposa d'abord comme romancier avant de prouver ses talents d'essayiste ou de pamphlétaire. Certes, en 1926, *Sous le soleil de Satan* portait indiscutablement la marque d'une tradition romanesque aussi rare qu'originale — celle de Léon Bloy, Villiers de l'Isle-Adam, Barbey d'Aurevilly et surtout Dostoïevski — mais, dans ce roman, l'évocation du surnaturel atteignait à une puissance et à une précision jamais rencontrées auparavant dans la littérature française. Aujourd'hui, si Bernanos a suscité des émules — Luc Estang, Roger Bésus, Paul-André Lesort par exemple —, il n'en demeure pas moins le plus grand romancier français du surnaturel.

« Le prosateur est un homme qui a choisi un certain mode d'action secondaire qu'on pourrait nommer l'action par dévoilement », affirme Jean-Paul Sartre dans un passage fort connu de *Situations*. « Il est donc légitime de lui poser cette question seconde : quel aspect du monde veux-tu dévoiler, quel changement veux-tu apporter au monde par ce dévoilement[2] ? » La question, sans conteste, mérite d'être posée à l'auteur de *L'Imposture* pour qui la vocation littéraire — il suffit de relire, entre autres pages célèbres, la très belle préface des *Grands Cimetières sous la lune* — s'enracinait dans la double fidélité à l'enfance et à la personne même du Christ. Romancier catholique par essence, Georges Bernanos déclarait dès 1926 : « Il faut rendre le plus sensible possible le tragique mystère du salut[3]. » Dans ses romans — comme d'ailleurs dans ses essais où l'on discerne la même inspiration fondamentale —, soucieux de témoigner à la fois en faveur de l'appel de l'éternité et des responsabilités temporelles du chrétien engagé sur les voies que trace l'Histoire (conçue comme un achèvement de la Création), il a voulu dénoncer toutes les formes d'imposture et de pharisaïsme, *dévoiler* les réponses

Les notes se trouvent à la fin de la Documentation thématique.

qu'apporte la foi aux problèmes posés par la condition humaine, suggérer l'importance du surnaturel capable de transcender la nature en l'accomplissant. Dans le cadre de ce bref article, pour tenter, en deux temps, une approche de ce dernier concept, il importe de répondre aux deux questions suivantes : à quelle vision du monde le surnaturel correspond-il dans l'œuvre romanesque de Bernanos ? Quelle technique spécifique implique-t-il ?

***

Tout écrivain authentique exprime dans son œuvre une *Weltanschauung*. Bernanos définissait clairement sa propre vision du monde à l'époque de *La Joie :* « J'écris chacun de mes livres pour me confirmer dans le sentiment que j'ai de la vie. Ma foi est incorporée aujourd'hui à l'univers, tel que je le connais, tel que je le vois. » Comment considère-t-il donc notre univers ?

Dans une première perspective, Bernanos appréhende l'univers de façon négative. Il estime qu'il est difficilement pénétrable par l'esprit, que la quête faustienne de la connaissance débouche sur le néant (cf. *Monsieur Ouine*). A qui tente de les déchiffrer sous le seul éclairage de l'humain, dans la seule optique du rationnel, le monde est opaque, la vie terrestre apparemment dénuée de sens (cf. Chantal de Clergerie et l'héroïne de la *Nouvelle Histoire de Mouchette*). Dans le *Journal d'un Curé de campagne*, l'humble prêtre se fait incontestablement l'interprète du romancier en notant sur son cahier d'écolier ces lignes dont l'accent n'est pas sans évoquer *Une Saison en enfer :* « Le clair de lune fait dans la vallée une espèce d'ouate lumineuse, si légère que le mouvement de l'air l'effile en longues traînées qui montent obliquement dans le ciel, y semblent planer à une hauteur vertigineuse. Toutes proches pourtant... Si proches que j'en vois flotter des lambeaux, à la cime des peupliers. O chimères ! Nous ne connaissons réellement rien de ce monde, nous ne sommes pas au monde [4]. »

De cette opacité de l'univers témoignent aussi les énigmes [5] de *Monsieur Ouine* où l'auteur s'est efforcé d'évoquer l'incohérence d'un monde privé de Dieu, réduit au chaos.

Mais une seconde perspective permet au visionnaire qu'est Bernanos de définir positivement l'univers, marqué par une double dialectique de l'ombre et de la lumière, de la surface et de la profondeur. Différentes images incitent à nous représenter le monde où nous vivons comme scindé en trois couches très nettement différenciées : en profondeur, *en bas*, pour reprendre un mot de Rimbaud [6], sous le sol visible, le domaine sombre de Satan, « l'Ange obscur » ; à la surface, une « croûte », le secteur de la vie quotidienne assumée dans la médiocrité ; au-dessus, l'infini, le lumineux « gouffre d'azur [7] ». A cette métaphore de l'enfer souterrain, de ce « lac de boue toujours gluant sur quoi passe et repasse vainement l'immense marée de l'amour divin [8] », est rattachée celle de l'aveu qui monte dans les yeux du pécheur ; ainsi, le curé d'Ambricourt remarque : « [...] ma seule présence fait sortir le péché de son repaire, l'amène comme à la surface de l'être, dans les yeux, la bouche, la voix [9]... »

Ces métaphores spatiales, qui visent à nous donner l'intuition d'une réalité irréductible à nos sens, sont indéniablement symboliques. Mais, pour Bernanos, l'existence même de l'univers surnaturel ne l'est en aucune façon. L'écrivain incarne dans ses romans le *mystère chrétien*, la réalité spirituelle affirmée par l'Ancien et surtout le Nouveau Testament : « Qu'importe l'idée inscrite sur un froid papier ou dans un cerveau presque aussi froid que le papier ! Il faut qu'une idée s'incarne, qu'elle s'incarne dans nos cœurs, qu'elle y prenne le mouvement et la chaleur de la vie (...) — le Verbe de Dieu s'est fait chair [10]. » Dans la perspective eschatologique suggérée par Pascal, les héros de ses romans jouent leur destin transterrestre, comme leur vocation terrestre, pour ou contre le risque de la foi. Pour eux, la vie chrétienne ne se réduit pas à une dogmatique extérieure à la conscience, à *l'être* même, mais s'exprime à travers une Personne : le Christ [11]. Le refus de Dieu engage infailliblement soit sur la voie de la médiocrité (l'ennui, et souvent le suicide, entendu ici encore au sens pascalien du terme, en est la rançon), soit sur celle de la quête lucide, volontaire, du Mal, donc de Satan : « Le mal comme le bien est aimé pour lui-même et servi [12]. » « Singe de Dieu », Satan corrompt tout par le mensonge, tue la vie elle-même (on lit dans *L'Imposture :* « Le Mal se dénonce lui-même, s'avoue tel quel, non pas un mode de vivre, mais un attentat contre la vie », et règne sur un royaume qui évoque une caricature monstrueuse du royaume divin : « Le monde du Mal échappe tellement, en somme, à la prise de notre esprit ! D'ailleurs, je ne réussis pas toujours à l'imaginer comme un monde, un univers. Il est, il ne sera toujours qu'une ébauche, l'ébauche d'une création hideuse, avortée, à l'extrême limite de l'être [13]. »

Certes, Bernanos reprend les grands mythes de la lutte du Bien et du Mal, de l'homme face à la double postulation simultanée vers Dieu ou Satan dont parle Baudelaire [14]. Mais, par la richesse de son inspiration et la puissance de son imagination métaphysique, il confère au schéma traditionnel un singulier relief, il impose la présence du surnaturel. « On ne fait pas au surnaturel sa part », affirme, dans *Monsieur Ouine*, le curé de Fenouille. Dans l'œuvre romanesque de Bernanos — Emmanuel Mounier, au début d'une étude très dense, aborda magistralement le premier cet aspect du problème [15] — le surnaturel n'est en rien l'extraordinaire, l'incommunicable, le domaine du rêve ou de l'illusion; il imprègne, bien au contraire, la nature humaine éclairée par la grâce, il s'affirme élément non seulement catalyseur, mais surtout créateur : comme l'écrivait Mounier, il est « la source de toute histoire ».

*
* *

« Toute technique, écrit encore Jean-Paul Sartre, renvoie à une métaphysique. » Inversement, toute métaphysique informe et détermine une technique qui lui est propre. Romancier de l'univers surnaturel, Bernanos a mis au service de son inspiration essentielle, de son intuition fondamentale une technique romanesque très étudiée et très précise. Dans un récent numéro d'*Études bernanosiennes* centré sur le *Journal d'un Curé de campagne*, Étienne-Alain Hubert a remarquablement mis l'accent sur certaines méthodes d'appréhension du surnaturel qui se rattachent au sens chrétien de l'Incarnation et s'appliquent à l'ensemble de cette œuvre romanesque : « Bernanos est trop profondément convaincu du mystère de l'Incarnation pour se contenter de l'au-delà des spiritualistes; il rend le surnaturel présent au monde, l'inscrit dans les réalités sensibles [16]. »
Contrairement à la conception balzacienne du roman, Bernanos ne décrit pas, en général, ses personnages sous forme de portraits et les introduit dans le cours du récit exclusivement en fonction des exigences de l'évolution spirituelle du (ou des) héros. Si, dans l'étude des caractères, Balzac établit une indéniable correspondance psycho-physiologique, s'il développe la psychologie de ses personnages en « droite ligne » (dans la mesure où, dès le début de l'intrigue, il pose les principes d'où découleront les comportements), Bernanos s'élève constamment du plan psychologique au plan métaphysique et ne fait appel à la physiologie qu'en tant que point d'insertion du surnaturel [17]. En réalité, il étudie moins des caractères que des âmes et cherche à entrevoir quelle pourrait être la destinée éternelle des âmes au-delà de la psychologie. Rejetant la psychologie romanesque classique, telle que la concevaient Mme de Lafayette, Laclos ou Stendhal, il ne se résout jamais à expliquer l'homme uniquement par ses tendances ou ses passions. Dans ses romans, chaque créature renferme en elle-même un mystère et se trouve en relation avec une transcendance; soit vers le Bien (Donissan, Chevance, Chantal de Clergerie, le curé d'Ambricourt), soit vers le Mal (Cénabre,

Simone Alfieri, Chantal « d'Ambricourt », la première Mouchette), elle se lance dans l'action avant de réfléchir à la portée exacte de ses actes. Chez les héros de Bernanos, la volonté s'exprime souvent sans le temps intermédiaire de la délibération, et l'engagement — au sens existentialiste du terme — accomplit l'évolution de l'être.

De cette évolution essentielle (tension vers la croix du Christ ou quête du néant), ils n'ont pas clairement conscience car ils ne peuvent déchiffrer leur propre « moi ». Rejoignant une nouvelle fois Pascal, Bernanos estime que la véritable connaissance n'est possible qu'en Dieu. « Il est possible que vous puissiez dire le chemin que j'ai suivi pour en arriver là, les raisons et les causes, confie Chantal de Clergerie au psychiatre La Pérouse. A quoi ça m'avancerait-il de vous entendre? Je ne saurai répondre ni oui ni non. » Et, quelques mois avant de mourir, le romancier notait sur son agenda : « Nous ne nous connaissons pas, le péché nous fait vivre à la surface de nous-mêmes, nous ne rentrons en nous que pour mourir, et c'est là qu'Il nous attend[18] . »

Dans cette quête du Bien ou du Mal — où l'on ne saurait trouver trace de manichéisme puisque Satan est conçu comme une créature révoltée mais toujours assujettie — Bernanos nous présente des « situations-limite[19] » dont la psychologie ne pourrait, à elle seule, rendre compte et qui attestent la présence du surnaturel. On se souvient de la prise de possession de Cénabre par Satan au commencement de *L'Imposture* (« Ce qui se formait en lui échappait à toute prise de l'intelligence, ne ressemblait à rien, restait distinct de sa vie, bien que sa vie en fût ébranlée à une profondeur inouïe. C'était comme la jubilation d'un autre être, son *accomplissement* mystérieux. ») — de la première Mouchette se donnant littéralement à Satan après avoir tenté en vain de s'évader hors d'elle-même en faisant appel à la folie (« Elle en était à soulever délibérément en elle les puissances de désordre, appelant la folie ainsi que d'autres appellent la mort... C'est alors qu'elle appela — du plus profond, du plus intime — d'un appel qui était comme un don d'elle-même, Satan) — ou, inversement, de la vision du curé d'Ambricourt survenant au cours d'un douloureux calvaire : « ... La créature sublime dont les petites mains ont détendu la foudre, ses mains pleines de grâces... Je regardais ses mains. (...) Je craignais, en levant les paupières, d'apercevoir le visage devant lequel tout genou fléchit. Je l'ai vu. C'était aussi un visage d'enfant, ou de très jeune fille, sans aucun éclat. »

Sans l'existence du surnaturel, les héros de Bernanos ne seraient que de pauvres fous, sans consistance charnelle, sans épaisseur humaine — c'est d'ailleurs le cas des personnages secondaires, médecins, psychiatres, écrivains ou journalistes ratés en qui la médiocrité est sévèrement fustigée — sans véritable vie romanesque. Mais le romancier nous donne aussi l'intuition du surnaturel en utilisant très habilement les « coordonnées » espace-temps. En harmonie avec l'aventure spirituelle du curé d'Ambricourt, véritable imitation de la Passion du Christ, s'imposent les notations d'atmosphère : obscurité, humidité, vent, pluies, prières nocturnes qui transposent sur le plan littéraire la *nuit mystique* évoquée par saint Jean de la Croix. A propos du *Journal d'un Curé de campagne*, on n'a d'ailleurs peut-être pas assez insisté sur l'importance du procédé technique permanent, le journal intime du prêtre qui répond à deux buts précis : d'une part, il suggère le temps intérieur vécu par le héros, d'autre part, il devient, en quelque sorte, le prisme grâce auquel l'humble témoin de Dieu confronte les faits avec leurs prolongements surnaturels.

Monsieur Ouine — où, rappelons-le, Bernanos a voulu fouiller de ses dons de visionnaire un monde absorbé par le Mal et, par conséquent, monstrueusement « avorté » — est, au contraire, caractérisé par un triple refus de la cohérence romanesque. Comme le pensait si pertinemment A. Béguin, l'action y est morcelée en ce sens que les personnages apparaissent, puis disparaissent sans logique apparente, que plusieurs intrigues divergentes s'entrecroisent. Le temps y apparaît « disloqué » : dans ce livre, en effet, Bernanos refuse le temps romanesque traditionnel, cohérent, extérieur aux créatures incarnées; il ne nous dit pas, par exemple, en combien de jours se déroule l'intrigue principale; il donne des précisions temporelles à travers la seule conscience du personnage pour qui elles conservent un sens; il insiste sur les « instants » d'une journée dans la mesure où ceux-ci traduisent la présence du surnaturel (l'aube, symbole de l'espérance, aimée par Steeny, l'adolescent, et haïe par Monsieur Ouine, le vieux professeur) ou les rapports qu'entretient la conscience avec un au-delà du pur psychisme (midi, symbole de la passion de vivre — mais quelle vie? La nuit, symbole de l'attente anxieuse — mais quelle attente?). Enfin, dans ce roman, l'espace trouve une signification spirituelle : cette plaine du Nord avec ses villages et ses lieux désignés par des noms authentiques mais jamais décrits, ses étendues grises, boueuses, ses longues routes, ses fermes disséminées, son ciel empli de nuages, cette localisation géographique « faussement précise » (selon le mot d'A. Béguin) tendent à susciter en nous une impression de malaise, d'inquiétude et à évoquer une profonde désolation métaphysique.

C'est dans ce décor du Nord de la France (exception faite d'*Un Crime* et d'une partie d'*Un Mauvais Rêve* où l'auteur situe l'action dans les Alpes — bien entendu des chapitres de *L'Imposture* et de *La Joie* qui se déroulent à Paris), dans ces paysages du Pas-de-Calais ou de l'Artois que se déroulent ces aventures profondément tragiques, que s'incarne ce combat mythique, mais grandiosement humain, du Bien et du Mal. Pour Bernanos, le Bien, le Mal ne sont en aucune façon des entités; ils se révèlent comme des personnes : Dieu, Satan. L'essence même de la vie surnaturelle consiste à accepter librement la volonté de Dieu et à lutter contre les tentations de Satan. L'homme devient ainsi le champ de bataille où s'affrontent deux éminents adversaires car "le témoignage du saint est comme arraché par le fer[20]". Le romancier donne implicitement à ses héros les directives adressées par saint Paul aux premiers chrétiens d'Éphèse : "Revêtez-vous de l'armure de Dieu pour pouvoir résister aux manœuvres du diable. Car ce n'est pas contre des adversaires de chair et de sang que vous avez à lutter, mais contre les principautés, contre les puissances, contre les esprits du mal qui habitent les espaces célestes."

L'œuvre romanesque de Bernanos (comme le théâtre de Claudel) est une remarquable transposition littéraire du dogme de la communion des saints. Dans un livre récemment publié[21], un universitaire américain, M. William Bush, insistait sur les liens invisibles, mais profonds, qui dans la perspective de la Passion et de la Rédemption unissent Donissan et Mouchette (*Sous le soleil de Satan*), Chevance, Chantal de Clergerie et Cénabre (*L'Imposture et La Joie*), le curé d'Ambricourt, la comtesse et Chantal (le *Journal d'un Curé de campagne*). A cette jeune fille révoltée et tendue vers le Mal, le prêtre n'hésite pas à affirmer : "Je réponds de vous âme pour âme." Dans *La Joie*, Chantal de Clergerie avoue à La Pérouse : « Le péché, nous sommes tous dedans, les uns pour en jouir, d'autres pour en souffrir, mais à la fin du compte, c'est le même pain que nous rompons au bord de la fontaine. » Et *Un Mauvais Rêve* comme *Monsieur Ouine* illustrent cette réflexion du curé d'Ambricourt qui met l'accent sur la solidarité des hommes dans le bien et dans le mal : « Nos fautes cachées empoisonnent l'air que d'autres respirent et tel crime, dont un misérable portait le germe à son insu, n'aurait jamais mûri son fruit sans ce principe de corruption. » Les héros de Bernanos ne peuvent se sauver seuls, leur vocation se réalise dans la communion avec autrui, selon le mot de Karl Jaspers : « Je n'existe qu'avec autrui; seul, je ne suis rien. » Puisque la vie est amour (« Pour nous chrétiens, affirmait Bernanos, Dieu est Amour, la création est un acte d'amour »), puisque l'amour surnaturel existe, vécu par les créatures bernanosiennes, la vie, comme la mort, doit être offerte.

Mais, dans l'évocation de ce don de la vie et de la mort, Bernanos fait preuve d'une étonnante attention au réel, d'un singulier réalisme. Pour lui, comme pour Péguy, le « surnaturel est lui-même charnel ». L'originalité de Bernanos romancier est d'inscrire le surnaturel dans les réalités les plus concrètes, de *dévoiler* les deux plans où se déroulent tous nos actes : le plan sensible et le plan spirituel. Donissan rencontre Satan, mais sur la route d'Étaples, en s'égarant dans des chemins de terre et sur des sentiers qui se métamorphosent en labyrinthe. Satan lui-même lui apparaît non selon l'évocation littéraire traditionnelle, mais sous l'aspect d'un maquignon — un « petit homme fort vif » aux « solides épaules », au torse « dur et noueux comme un chêne », que nous pourrions rencontrer nous-mêmes. Cénabre, peu à peu, cède à la pression de Satan, se laisse posséder : son comportement face à Chevance est subitement modifié, un nouveau déterminisme brise les anciens rapports : « La même haine mystérieuse cherchant toujours son objet [...] le jeta tout tremblant, face à un nouvel adversaire. Il ne mesura point son élan. Il étendit seulement le bras, et le frêle vieux prêtre pirouetta sur lui-même. [...] La honte, plutôt que la pitié, tira de l'abbé Cénabre une espèce de gémissement. Il restait muet devant sa grotesque victime, la discernant à peine, toute son attention tendue vers l'événement intérieur, le jaillissement irrésistible, la force inconnue, surnaturelle... » Avant de mourir, Chevance veut revoir une dernière fois Cénabre auquel il est lié (ainsi que Chantal de Clergerie) pour l'éternité. A la fin de *L'Imposture*, Bernanos nous fait prendre conscience de la complémentarité de leurs destins au moyen d'un réalisme hallucinant [22] : celui d'une agonie où le rêve s'unit au réel de telle façon que l'opposition ordinaire entre ces deux états s'efface, disparaît. Cette agonie témoigne d'ailleurs d'une irréalité au second degré : les faits qui se déroulent dans l'univers sensible, objectif, suscitent les fluctuations du rêve, mais celles-ci — gestes ou paroles — deviennent, à leur tour, les symboles du duel livré par la grâce (Chevance) au péché (Cénabre). Décrivant les extases mystiques de Chantal, passionnément tendue vers la prière authentique, le romancier a soin de faire appel à des images aussi simples que précises :

« Elle leva vers le Christ pendu au mur un regard avide, et sans pouvoir se détourner plus longtemps de la source ineffable dont la soif la dévorait, elle glissa sur les genoux, se jeta dans la prière, les lèvres serrées, les yeux clos, comme on tombe, ou comme on meurt. [...] Littéralement, elle crut entendre se refermer sur elle une eau profonde, et aussitôt, en effet, son corps défaillit sous un poids immense, accru sans cesse, et dont l'irrésistible poussée chassait la vie hors de ses veines. Ce fut comme un arrachement de l'être, si brutal, si douloureux,

que l'âme violentée n'y put répondre que par un horrible silence... Et presque dans la même incalculable fraction de temps, la Lumière jaillit de toutes parts, recouvrit tout [23]. »
Dans chacun de ses romans, Bernanos suggère, en général, le surnaturel en s'appuyant sur le réel concret. La lucidité surnaturelle de ses « saints », que l'on ne saurait expliquer ni par la seule intelligence, ni par la seule sensibilité, permet de discerner, au-delà du comportement, les mouvements les plus secrets de l'âme; elle est participation à la vision des êtres qu'aurait Dieu, identification, par amour, avec le « moi » profond d'autrui (« La charité des grandes âmes, leur surnaturelle compassion semblent les porter d'un coup au plus intime des êtres. La charité, comme la raison, est un des éléments de notre connaissance. Mais, si elle a ses lois, ses déductions sont foudroyantes et l'esprit qui les veut suivre n'en aperçoit que l'éclair [24] ») mais dans la fidélité au réel. Un seul exemple significatif. Donissan tente de délivrer Mouchette en la dépouillant de ses péchés et de ses rêves. Dans un premier temps, il jette sur elle un regard exclusivement humain : « Il la vit, telle qu'il l'avait entrevue dans l'ombre, une heure plus tôt, avec ce visage d'enfant vieilli, contracté, méconnaissable. » Dans un second temps, le romancier précise la portée surnaturelle de ce regard lucide : « La grâce de Dieu s'était faite visible à ses yeux mortels : ils ne découvraient plus maintenant que l'ennemi, vautré dans sa proie. Et déjà aussi la pâle figure de Mouchette, comme rétrécie par l'angoisse, chavirait dans le même rêve, dont leur double regard échangeait le reflet hideux [25]. »
Il arrive cependant que, sans passer par le canal du réel concret, Bernanos fasse directement appel au surnaturel pour nous suggérer d'élucider un comportement en apparence inexplicable. Au début de *Sous le soleil de Satan*, Mouchette tue son premier amant, le marquis de Cadignan. Impulsivité excessive? Geste irrationnel et irréfléchi? Désir de se venger d'une trop grande déception? Certes, mais surtout emprise naissante de cette tentation du mal pour le mal proposée très habilement par le « Prince de ce monde ». Donissan dira plus tard à la jeune femme : « Vous n'êtes point, devant Dieu, coupable de ce meurtre. Pas plus qu'en ce moment-ci votre volonté n'était libre [26]. » Mais au moment où les nœuds de l'intrigue commencent à se resserrer, l'auteur n'hésite pas à écrire : « Sa déception fut si forte, son mépris si prompt et si décisif qu'en vérité les événements qui vont suivre étaient déjà comme écrits en elle. [...] Dès ce moment, son proche destin se pouvait lire au fond de ses yeux [...] [27]. » Sans l'éclairage du surnaturel, la fin de la *Nouvelle Histoire de Mouchette* demeure incompréhensible, les explications apparemment logiques se révélant totalement

erronées. Car la tentation du suicide à laquelle, par désespoir et volonté de don à Satan, succombe Germaine Malorthy se conçoit ici comme une « chance » de salut pour la seconde Mouchette, se révèle être un appel de l'éternité, de l'Amour divin :

« Et aujourd'hui voilà qu'elle songeait à sa propre mort, le cœur serré non par l'angoisse, mais par l'émoi d'une découverte prodigieuse, l'imminente révélation d'un secret, ce même secret que lui avait refusé l'amour. Et, certes, l'idée qu'elle se faisait de cet événement mystérieux restait puérile, mais l'image qui la laissait la veille insensible, l'enivrait maintenant d'une tendresse poignante. Ainsi un visage familier nous apparaît dans la lumière du désir, et nous savons tout à coup que depuis longtemps il nous était plus cher que la vie [28]. » A la fin de *La Joie*, à l'instant où Chantal meurt, assassinée par Fiodor, le valet russe toxicomane (« elle aura tout renoncé, [...] même sa mort »), Cénabre sent une force inconnue le pénétrer insensiblement et rompre le cercle du mensonge où il s'était volontairement enfermé : « Que s'est-il donc passé? bégayait-il. Rien. Je n'ai rien vu, rien entendu, je ne pensais même à rien. Cela m'a comme frappé dans le dos. » Et Bernanos ajoute : « L'angoisse n'était pas, cette fois, montée lentement de lui-même, au terme d'une interminable rumination, d'un examen périlleux poussé jusqu'à la partie vive de l'âme : le coup avait été porté du dehors [29]. »

***

Bernanos écrivait en 1926 à Frédéric Lefèvre : « Vous cherchez une vision du monde moral à la fois logique et pathétique? Ne cherchez pas plus loin. » Le romancier évoquait *Sous le soleil de Satan*, il n'en est pas moins toujours demeuré fidèle à son dessein initial : changer nos cœurs, nous inciter à participer à la Rédemption. « La partie ne se joue plus aux enfers, écrivait-il encore à Frédéric Lefèvre; elle se joue désormais au cœur de l'Homme-Dieu, ou l'Humanité a sa racine, ce cœur percé d'une lance, et où notre race elle-même ouverte mêle son sang prodigué sans mesure. »

Cet immense effort de participation à l'achèvement de la Rédemption, Bernanos nous demande de l'entreprendre dans l'instant même où nous lisons ses romans. Dans la très profonde préface qu'il a donnée à l'édition des *Œuvres romanesques* de Bernanos (Bibliothèque de la Pléiade), Gaëtan Picon affirme très judicieusement que la situation adoptée par le romancier à l'égard de ses créatures a quelque chose d'unique dans notre littérature. Si la participation narrative traditionnelle est « objective », la participation de Bernanos est une participation « optative », comme si l'évocation était en même temps une prière capable de peser sur le destin. Autrement dit, la créature bernanosienne en perdition ne peut être sauvée que par la quadruple conjonction du romancier, de son « saint », du lecteur et de Dieu.

2. STYLE ET IMAGES

◆ Bernanos écrivait : « Je voudrais dans mes livres lancer des escadrons d'images ». André Rétif dans un article de *Vie et Langage*, dont nous donnons ici un extrait, nous fait pénétrer dans le monde des images de Bernanos.

A L'AFFUT DU MONDE INVISIBLE

Le regard de Bernanos veut fouiller le monde invisible; au-delà du conditionnement humain et social, il décèle un autre conditionnement plus mystérieux, celui de la grâce et du péché, et c'est là que les images viennent au secours de ses investigations en matière de psychologie nocturne. Il écrit lui-même à propos de Mouchette : « Les sentiments les plus simples naissent et croissent dans une nuit jamais pénétrée, s'y confondent ou s'y repoussent selon de secrètes affinités, pareils à des nuages électriques, et nous ne saisissons à la surface des ténèbres que les brèves lueurs de l'orage inaccessible. » Pour décrire les mouvements secrets des âmes, viennent sans cesse les comparaisons de cancer, de tumeur, de lèpre, de maladie ou encore de bêtes tapies qui rongent les cœurs. « Mon pauvre vieux papa est atteint d'une de ces ignobles tumeurs qui m'ont toujours paru, plus qu'aucun autre mal, la figuration de Satan, le symbole de sa monstrueuse fécondité dans les âmes. Il a un cancer au foie. » (Lettre de 1926.)
Le curé d'Ambricourt voit l'enfer comme « ce lac de boue toujours gluant sur quoi passe et repasse vainement l'immense marée de l'amour divin, la mer de flammes vivantes et rougissantes qui a fécondé le chaos ». Le même écrit dans son *Journal:* « Le monde du péché fait face au monde de la grâce ainsi que l'image reflétée d'un paysage au bord d'une nuit noire et profonde. » Ou encore : « ... d'affreux monstres non développés, des moignons d'hommes. Ainsi faits, que peuvent-ils dire du péché ? Qu'en savent-ils ? Le cancer qui les ronge est pareil à beaucoup de tumeurs — indolore. » La luxure est une plaie mystérieuse au flanc de l'espèce. Les mensonges sont des murs de nuit; les défauts, des bêtes inutiles et coûteuses dont l'appétit va croissant. « La parole de Dieu, c'est un fer rouge. » L'admirable début du *Journal d'un curé de campagne* emploie

des mots très simples, prosaïques, puis sourdent des images d'une grande force : « Ma paroisse est une paroisse comme les autres. Toutes les paroisses se ressemblent. [...] Ma paroisse est *dévorée* par l'ennui, voilà le mot. Comme tant d'autres paroisses! L'ennui les dévore sous nos yeux et nous n'y pouvons rien. Quelque jour peut-être la *contagion* nous gagnera, nous découvrirons en nous ce *cancer*. On peut vivre très longtemps avec ça. L'idée m'est venue hier sur la route. Il tombait une de ces pluies fines qu'on *avale* à pleins poumons, qui vous *descendent jusqu'au ventre*. De la côte de Saint-Vaast, le village m'est apparu brusquement, si *tassé*, si *misérable* sous le ciel hideux de novembre. L'eau *fumait* sur lui de toutes parts, et il avait l'air de s'être *couché* là, dans l'herbe *ruisselante*, comme une pauvre *bête* épuisée. Que c'est petit, un village! Et ce village était ma paroisse. C'était ma paroisse, mais je ne pouvais rien pour elle, je la regardais tristement *s'enfoncer* dans la nuit, *disparaître...* » (Nous avons mis en italiques les principaux mots qui font image, de splendides images.)

Le curé de Torcy plaisante son confrère sur sa simplicité d'âme : « Que voulez-vous, mon enfant, ces gens ne haïssent pas votre simplicité, ils s'en défendent, elle est comme une espèce de feu qui les brûle. Vous vous promenez dans le monde avec votre pauvre humble sourire, qui demande grâce, et une torche au poing, que vous semblez prendre pour une houlette. Neuf fois sur dix, ils vous l'arracheront des mains, mettront le pied dessus, mais il suffit d'un moment d'inattention, vous comprenez? » Mélange d'humour et de gravité où fusent les images cocasses : un genre d'ange simplet au glaive brûlant comme celui qui chasse Adam et Ève du paradis de la quiétude...

La peur hante les personnages de Bernanos. Dans *la Joie*, elle est personnifiée comme une sœur de charité : « En un sens, voyez-vous, la Peur est tout de même la fille de Dieu, rachetée la nuit du Vendredi saint. Elle n'est pas belle à voir — non! —, tantôt raillée, tantôt maudite, renoncée par tous... Et cependant, ne vous y trompez pas : elle est au chevet de chaque agonie, elle intercède pour l'homme. »

L'ENFANCE ET LA MORT

Nous voici introduits au thème central de l'œuvre au dire d'Albert Béguin, la correspondance entre l'enfance et la mort. L'enfance a toujours obsédé Bernanos. Il écrit pour se justifier aux yeux de l'enfant qu'il fut. « Qu'il ait cessé de me parler ou non, qu'importe, je ne conviendrai jamais de son silence, je lui répondrai toujours. Je veux bien lui apprendre à souffrir, je ne le détournerai pas de souffrir, j'aime mieux le voir révolté que déçu, car la révolte n'est le plus souvent qu'un passage,

au lieu que la déception n'appartient déjà plus à ce monde, elle est pleine et dense comme l'enfer » (*les Enfants humiliés*). L'enfant qu'il a été, ce n'est pas une abstraction, mais un compagnon vivant, un double, un juge.
C'est lui qui se présentera devant Dieu avec le cortège des héros créés par Bernanos, celui aussi de ses lecteurs : « compagnons inconnus, vieux frères, nous arriverons ensemble, un jour, aux portes du royaume de Dieu. Troupe fourbue, troupe harassée, blanche de la poussière de nos routes, chers visages durs dont je n'ai pas pu essuyer la sueur, regards qui ont vu le bien et le mal, rempli leur tâche, assumé la vie et la mort, ô regards qui ne se sont jamais rendus! Aussi vous retrouverai-je, vieux frères. Tels que mon enfance vous a rêvés. Car j'étais parti à votre rencontre, j'accourais vers vous. Au premier détour, j'aurais vu rougir les feux de vos éternels bivouacs. Mon enfance n'appartenait qu'à vous. [...] L'aube venait bien avant que fussent rentrés dans le silence de l'âme, dans ses profonds repaires, les personnages fabuleux encore à peine formés, embryons sans membres, Mouchette et Donissan, Cénabre, Chantal, et vous, vous seul de mes créatures dont j'ai cru parfois distinguer le visage, mais à qui je n'ai pas osé donner de nom — cher curé d'un Ambricourt imaginaire. Étiez-vous alors mes maîtres? Aujourd'hui même, l'êtes-vous? Oh! je sais bien ce qu'a de vain ce retour vers le passé. Certes ma vie est déjà pleine de morts. Mais le plus mort des morts est le petit garçon que je fus. Et pourtant, l'heure venue, c'est lui qui reprendra sa place à la tête de ma vie, rassemblera mes pauvres années jusqu'à la dernière, et comme un jeune chef ses vétérans, ralliant la troupe en désordre, entrera le premier dans la Maison du Père. » L'influence de Péguy est sensible dans ce beau passage où les images s'enchevêtrent et se chevauchent.
Sur son lit de mort, la vieille prieure des *Dialogues des carmélites* s'interroge : « Une fois sortie de l'enfance, il faut très longtemps souffrir pour y rentrer, comme tout au bout de la nuit on retrouve une autre aurore. Suis-je redevenue enfant ?... » Il faut redevenir enfant pour entrer dans le royaume, rentrer dans l'enfance, voir se lever l'aurore après la nuit. Le curé de campagne constate que ses pénitents ne retrouvent qu'après la mort, après le sombre passage, le visage de leur enfance : « Mais leurs pauvres chers visages ne retrouvaient qu'au-delà du sombre passage la sérénité de l'enfance (pourtant si proche!), ce je ne sais quoi de confiant, d'émerveillé, un sourire pur... Le démon de la luxure est un démon muet. » Pour Bernanos, l'après-mort s'appelle « un éternel matin » et le sort commun des hommes est de mourir avec le sentiment de leur tâche inaccomplie et de « connaître, à l'heure de l'agonie, ce suprême

déchirement, avant de se réveiller, le seuil franchi, dans la douce pitié de Dieu, comme dans une aube fraîche et profonde » (article paru au Brésil en janvier 1945 : « Dans l'aube fraîche de nos enfances »).

Depuis sa jeunesse maladive, il craignait la mort, il y pensait sans cesse, mais quelques mois avant qu'elle survienne il consignait dans son carnet journalier, à propos de la volonté de Dieu : « Nous voulons tout ce qu'Il veut, mais nous ne savons pas que nous le voulons, nous ne nous connaissons pas, le péché nous fait vivre à la surface de nous-mêmes, nous ne rentrons en nous que pour mourir, et c'est là qu'Il nous attend. » Belle image suprême : la mort est la rentrée en soi où nous attend le Père de l'enfant prodigue.

Le retour à l'enfance, pour Péguy, Alain-Fournier et Bernanos, c'est le message de vie. Sur l'album d'une jeune fille brésilienne, Georges Bernanos écrit : « N'oubliez plus désormais que ce monde hideux ne se soutient encore que par la douce complicité — toujours combattue, toujours renaissante — des poètes et des enfants. Soyez fidèle aux poètes, restez fidèle à l'enfance! Ne devenez jamais une grande personne! »

Une dernière image de ce familier du royaume des enfants : « Il est certain que nous allons dans la vie cahin-caha, et tout brinqueballants — et pas toujours sur nos quatre roues — comme le petit chariot de bois qu'un enfant traîne après lui, mais c'est l'Enfant de Noël qui tient la ficelle. Si nous ne sentions plus de cahots, ce serait le moment de nous inquiéter : nous pourrions craindre qu'il l'ait lâchée... » (Lettre de décembre 1945.)

1. « L'art a un autre but que lui-même. Sa perpétuelle recherche de l'expression n'est que l'image affaiblie, ou comme le symbole, de sa perpétuelle recherche de l'Être. » Lettre à F. Lefèvre, dans Frédéric Lefèvre, *Georges Bernanos*, Éditions de La Tour d'Ivoire, 1926, p. XVIII; **2.** Cf. *Situations*, II, Gallimard, 1958, p. 73; **3.** Cf. *Le Crépuscule des Vieux*, Gallimard, 1956, p. 84. **4.** Cf. *Journal d'un Curé de campagne* dans Bernanos, *Œuvres romanesques*, Bibliothèque de la Pléiade, Gallimard, 1961, p. 1142. Nous désignons cette édition par le sigle Œ. I et nous nous y référons pour l'ensemble des romans de Bernanos. Dans *Une Saison en enfer*, Rimbaud écrivait : « La vraie vie est absente. Nous ne sommes pas au monde. » Cf. Mercure de France, 1951, p. 43; **5.** Entre autres : qui a tué le petit vacher? Le père de Steeny vit-il toujours? Jambe-de-Laine a-t-elle voulu tuer Steeny? Pourquoi accuse-t-elle le vieux professeur du crime mystérieux? etc. Autant de questions que le romancier laisse volontairement sans réponse; **6.** « Je ne suis plus au monde. — La théologie est sérieuse, l'enfer est certainement *en bas* — et le ciel en haut. » *Une Saison en enfer*, p. 35; **7.** Cf. Œ. I, p. 1090; cf. encore p. 1031; **8.** Cf. Œ. I, p. 1139; **9.** Cf. Œ. I, p. 1149; cf. encore pp. 1155-1156; **10.** Cf. *Le Chemin de la Croix des Ames*, Gallimard, 1948, pp. 473-474; **11.** Cf. Œ. I, p. 1034 et surtout pp. 1050-1051; **12.** Cf. Œ. I, p. 221; **13.** Cf. Œ. I, p. 1143. Dans le *Journal d'un Curé de campagne*, Bernanos écrit encore : « Le monde du mal fait face au monde de la grâce ainsi que l'image reflétée d'un paysage, au bord d'une eau noire et profonde. » (Cf. Œ. I, p. 1139); **14.** « Il y a, dans tout homme, à toute heure, deux postulations simultanées, l'une vers Dieu, l'autre vers Satan. L'invocation à Dieu, ou spiritualité, est un désir de monter en grade ; celle de Satan, ou animalité, est une joie de descendre. » Baudelaire, *Journaux intimes*, « Mon cœur mis à nu »; **15.** Cf. « Un Surnaturalisme historique ; Georges Bernanos », dans *L'Espoir des Désespérés*, Seuil, 1953; **16.** « Cf. Quelques aspects de l'expression romanesque du surnaturel dans le *Journal d'un Curé de campagne.* » *Études bernanosiennes* 2, La Revue des Lettres modernes, nº 67-68, p. 41; **17.** Cf. E.-A. Hubert, article cité, pp. 29-31. Dans son livre consacré au *Tragique dans l'Œuvre de Georges Bernanos* (Droz, 1960), J. L. Gillespie dégage le sens du contraste établi entre l'aspect extérieur médiocre, gauche, pauvre des « saints » bernanosiens et la richesse de leur vie intérieure, le caractère exceptionnel de leur personnalité. L'originalité de ce contraste est précisément de suggérer le « prodigieux mystère qu'est l'incarnation du divin dans la matière, dans la « boue » qu'est l'homme »; **18.** Cf. Œ. I, p. 700 et p. LIV. Pascal écrivait : « Non seulement nous ne connaissons Dieu que par Jésus-Christ, mais nous ne nous connaissons nous-mêmes que par Jésus-Christ. Hors de Jésus-Christ, nous ne savons ce que c'est ni que notre vie, ni que notre mort, ni que Dieu, ni que nous-mêmes. » (*Pensées*, 729); **19.** Cf. l'article magistral de M. André Espiau de La Maëstre, professeur à l'Institut français de Vienne, publié dans le numéro 44, décembre 1961, du *Bulletin de la Société des Amis de Georges Bernanos :* « A propos de quelques traductions allemandes des œuvres de Georges Bernanos »; par les trois citations de ce paragraphe, cf. Œ., I, pp. 348, 211-12, 1197 ; **20.** Cf. Œ. I, p. 308, et encore : « Entre Satan et Lui, Dieu nous jette, comme son dernier rempart. » (Œ. I, p. 256); **21.** Cf. William Bush: *Souffrance et Expiation dans la pensée de Bernanos*, Paris, Lettres modernes, 1962; **22.** Œ., I, p. 346 Cf. aussi le réalisme de l'agonie de la Prieure dans les *Dialogues des Carmélites*; **23.** Œ., I. p. 681; **24.** Œ., I, pp. 198-99; **25.** Œ., I, pp. 202-4; **26.** Œ., I, p. 200; **27.** Œ., I, pp. 83 et 86; **28.** Œ., I, p. 1339; **29.** Œ., p. 723 et pp. 715-16. Nous nous permettons ici de renvoyer le lecteur à notre essai : *Le Sens de l'Amour dans les romans de Bernanos*, Paris, Lettres modernes, 1959, pp. 74-82.

JUGEMENTS SUR GEORGES BERNANOS

BERNANOS EN FACE DE SON ŒUVRE :

J'ai conscience d'avoir mis vingt ans à créer dans ma tête un monde imaginaire d'une singulière grandeur. J'ai hâte de le découvrir à ceux qui mériteraient de le connaître, et je sais que la réalisation m'égalerait aux plus grands si...

G. Bernanos,
à un ami (1925).

Je voudrais dans mes livres lancer des escadrons d'images.

G. Bernanos,
à un ami, avant *Sous le soleil de Satan.*

Ah! non, je ne suis pas si hardi de me proposer d'écrire jamais, de recomposer du dedans la vie d'un saint — je dis d'un saint véritable, donné pour tel par l'église.

G. Bernanos,
dans *les Nouvelles littéraires* (1926).

Les saints ne sont pas sublimes, ils n'ont pas besoin de sublime; c'est le sublime qui aurait plutôt besoin d'eux. Les saints ne sont pas des héros, à la manière des héros de Plutarque.

G. Bernanos,
La liberté, pour quoi faire? (1946-1947).

JUGEMENTS DES CONTEMPORAINS :

J'ai lu l'ouvrage avec l'intérêt ou pour mieux dire la passion que vous pouvez penser. J'y trouve cette qualité royale, la force, cette domination magistrale des événements et des figures, et ce don spécial du romancier qui est ce que j'appellerai le don des ensembles indéchirables et des masses en mouvement. Prenons la partie centrale de votre drame, depuis le moment où votre héros part pour Étaples jusqu'à celui où, dans la lueur de l'aube d'hiver, il quitte Mouchette, cela va croissant à la fois en rapidité et en volume comme un de ces immenses mouvements de Beethoven. On retrouve le même don chez Dostoïevsky. [...]

Je ne suis pas du tout de l'avis de vos critiques qui trouvent que l'histoire de Mouchette est extérieure au drame. C'est au contraire un point de départ et tout se met en branle pour venir au secours de cette petite âme écrasée. (Ce serait plutôt la scène de l'enfant qui ne s'y rejoint pas.) Ce qui est beau, c'est aussi ce sentiment fort du surnaturel, dans le sens non pas de l'extra-naturel, mais du naturel à un degré éminent.[...]

Votre héros ne laisse pas une impression nette : on dirait que vous avez hésité entre deux idées, qui reprennent alternativement l'avantage; l'une est celle de l'*ascète* émacié, celle du curé d'Ars; l'autre qui vous appartient en propre et que je trouve plus intéressante est celle de l'*athlète* resté humain, trop humain, et qui ne craint pas de lutter corps à corps, comme dit saint Paul, avec la puissance des ténèbres, en jetant tout sur la table, même son salut éternel. Le tout est de savoir s'il est poussé par l'amour de Dieu ou par l'orgueil de sa force, et dans votre livre il semble bien que ce soit le second sentiment qui soit le plus fort.

Paul Claudel,
Lettre à Bernanos (Tokyo, 1926).

L'Imposture et même *Sous le soleil de Satan* font songer à un édifice composite où les ailes ne sont pas du même style que la partie centrale. [...]

Chaque roman de Bernanos se développe à la fois selon trois dimensions. On songe à ces triptyques des peintres du Moyen Age : l'histoire des destinées individuelles, le drame de la vie surnaturelle, le jugement sur l'époque se disputent les volets et le panneau central. Ainsi donc chaque roman de Bernanos nous offre à la fois une intrigue, puissamment dramatique, l'inventaire respectueux d'une expérience spirituelle, l'image que le polémiste se fait de la société de son temps : peut-on concevoir un usage plus complet des possibilités de l'expression romanesque?

Aucun roman de Bernanos où le déroulement du récit n'offre quelque indécision, quelque obscurité. Les raisons qui dirigent les personnages ne leur sont pas pleinement transparentes : tout plonge au-delà de la zone que la pensée réussit à éclairer;[...] autant que l'origine des événements, leurs conséquences nous échappent.

Gaëtan Picon,
Georges Bernanos (Coll. « les Hommes et les Œuvres ») [1948].

C'est une œuvre inégale, sans doute. Elle comporte des parties confuses ou précipitées. Mais il n'est rien d'elle qui ne respire la grandeur. Cette grandeur éclate dès le départ, et l'on ne peut rêver portail ou narthex plus admirable que *Sous le soleil de Satan*. Le *Journal d'un curé de campagne* pourra nous offrir un accent plus proche, une ligne plus délicate ou plus patiente; mais il ne nous en fera pas oublier le jaillissement, l'allure dramatique, ni l'insolente architecture, qui trouve son équilibre dans la violence des contrastes.

Marcel Arland,
Georges Bernanos, dans le recueil collectif
des *Cahiers du Rhône* (1949)

[...] livre extraordinairement mêlé, inégal et débordé par la folie verbale, mais remarquable d'audace, car il s'agissait d'éclairer l'intérieur des êtres par explosions de la puissance du mal. [...] Pourquoi donc le livre défaille-t-il dans sa partie essentielle, malgré une incontestable puissance hallucinatoire ? Par défaut de crédibilité. L'apparition du Démon dans la campagne sous le masque d'un maquignon mystérieux, celle d'un ange gardien qui a pris le visage d'un carrier connu, convainquent des lecteurs : ou ils ont de la chance (c'est une grâce) ou ils sont convaincus d'avance. [...] Remarquez qu'il y a une partie du livre où la pénétration de tout par la puissance maligne est près de se révéler, c'est le prélude où se démène une fille véritablement possédée, Mouchette [...], or là, pas de présence surnaturelle; rien que d'humain, de terriblement humain, mais comme pétri d'une méchanceté d'au-delà. Qu'il est fort, ce prélude! Le livre, après lui, ne tient plus le coup.

Henri Clouard,
Histoire de la littérature française, du symbolisme à nos jours (1953).

QUESTIONS

1. La satire sociale dans ce premier chapitre.

2. Quelle limite apparaît ici dans le libéralisme de Malorthy ?

3. Appréciez les qualités de ce portrait.

4. Comparez les deux hommes aux prises dans cette scène.

5. Comment apparaît Mouchette dans ce premier contact ?

6. Commentez les images de ce paragraphe.

7. Comment expliquez-vous ce sentiment ?

8. Comment vous apparaissent les trois personnages en présence dans cette scène ?

9. Quelle impression exaltante se dégage de ce passage ?

10. Relevez dans les répliques de Mouchette les tournures familières ou enfantines. Quel aspect de son caractère révèlent-elles ?

11. Caractérisez le ton de Cadignan dans cette tirade.

12. Pourquoi n'est-elle pas appelée Mouchette en ce passage ?

13. Quelle révélation se fait jour ici dans le cœur de Mouchette ? Comment apparaît Cadignan ?

14. Pourquoi Bernanos place-t-il ici cette réflexion, qui est une clef de son art romanesque ?

15. Commentez ce passage en fonction du titre du roman.

16. Pourquoi ce nouveau mensonge ? Mouchette le commet-elle pour les mêmes raisons qu'elle a commis le premier ?

17. Appréciez la peinture et l'effet de la violence physique dans cette scène. Jugez d'après ce passage Bernanos romancier de l'action.

18. Quelle image trompeuse a-t-elle tuée ?

19. Montrez qu'on sent ici la prédilection de l'auteur pour les êtres qui sortent de la banalité.

20. Quelle nuance voyez-vous dans cette appellation ? Montrez que le langage de Mouchette s'est transformé depuis l'épisode précédent. Que traduit ce changement ?

21. Quelle nuance dans cette appellation ? Et dans le vocabulaire de Gallet ?

22. Quelle transformation s'est opérée dans Mouchette depuis les premiers chapitres ?

23. Pourquoi ce possessif ?

24. Recherchez et appréciez dans ce chapitre les passages peignant la vie physique des personnages.

25. Comment apparaît le caractère de l'abbé Menou-Segrais d'après ce passage ?

26. Quelle importance a ce paragraphe dans la suite du roman ?

27. Étudiez ce premier portrait du futur saint.

28. Étudiez les deux caractères en présence et la composition d'ensemble de la scène.

29. Précisez l'importance de cet entretien dans l'avenir du saint.

30. Quelle vertu apparaît ici chez Donissan ?

31. Quelle remarque faites-vous ici sur la construction du roman ?

32. Étudiez cette comparaison en soulignant sa valeur descriptive et sa puissance affective.

33. Quelle apparition intervient ici ? S'est-elle manifestée déjà ?

34. Étudiez dans les paragraphes précédents la peinture de la souffrance physique. Quel effet le romancier en tire-t-il ?

35. Quel aspect de Bernanos se manifeste dans cette apostrophe ?

36. Pourquoi cette prière est-elle un moment capital du livre ?

37. Étudiez dans ce morceau l'apparition progressive du fantastique.

38. Comment le portrait réaliste du maquignon prépare-t-il sa transformation satanique ?

39. Étudiez dans tout ce chapitre la peinture et l'évocation réaliste du surnaturel.

40. Quel passage du Nouveau Testament cette question rappelle-t-elle ? Quels sentiments l'inspirent au vicaire de Campagne ?

41. Sur quel ton ce maquignon démoniaque prononce-t-il ces mots ? Que se propose-t-il ?

42. Pourquoi ce changement ?

43. Étudiez la construction dramatique de l'ensemble de cette scène.

44. Étudiez ici l'art de *peindre* concrètement le monde spirituel. Recherchez-en d'autres exemples.

45. Marquez les étapes du retour au réel dans ce passage.

46. Quelle ambiguïté cette question fait-elle peser sur tout le roman ?

47. Quel effet de contraste cette évocation crée-t-elle ?

48. Quel nouveau Donissan se manifeste ici ? Cherchez, dans les pages suivantes, des réactions analogues de la part du vicaire de Campagne.

49. Quelles paroles de l'Écriture cette prière rappelle-t-elle ? Quels sentiments l'inspirent à l'abbé Donissan ?

50. Soulignez la cruauté des images dans ce passage. Quelles autres descriptions du livre rappelle-t-elle ?

51. A quelle philosophie l'auteur s'en prend-il ici ?

52. Étudiez dans cette lettre l'art du satirique et de l'ironiste.

53. Quels traits de caractère nouveaux apparaissent chez l'abbé Donissan vieilli ? Son langage et son ton n'ont-ils pas changé ?

54. Montrez que ce découragement fait pendant à l'exaltation de la scène précédente (Ch. IV).

55. Étudiez dans cette scène le mélange du réalisme et du surnaturel. Rapprochez-la de la rencontre avec le maquignon diabolique.

56. Quel aspect de l'art de Bernanos se manifeste particulièrement ici ?

57. Étudiez et appréciez dans ce passage l'art du portrait satirique. Pourquoi cette ironie haineuse à l'égard d'Anatole France ? N'y a-t-il ici que mépris ?

58. Expliquez l'importance de ce mot dans l'économie du roman. Quelle impression provoque cette parenthèse lyrique ?

59. Le rôle de Saint-Marin vous paraît-il épisodique ?

60. Commentez et appréciez cette image finale.
